GEOGRAFIA

Angela Rama
Mestre em Geografia pela USP
Professora da rede particular de ensino

Marcelo Moraes Paula
Bacharel e licenciado em Geografia pela USP
Professor da rede particular e pública de ensino

Cristina Orsi/Foto de Rita Barreto

ENSINO FUNDAMENTAL **5º ANO**

ISBN 978-85-02-07440-8
ISBN 978-85-02-07441-5 (Livro do Professor)

Projeto Prosa Geografia (Ensino Fundamental) – 5º ano
© Angela Rama e Marcelo Moraes Paula, 2008
Direitos desta edição:
SARAIVA S. A. – Livreiros Editores, São Paulo, 2008
Todos os direitos reservados

Gerente editorial	Marcelo Arantes
Editor	Silvana Rossi Júlio
Editor-assistente	Simone D'Alevedo
Assistente editorial	Mirian Martins Pereira
Coordenador de revisão	Camila Christi Gazzani
Revisores	Lucia Scoss Nicolai (enc.), Elaine Azevedo Pinto, Renata Palermo
Assistente de produção editorial	Rachel Lopes Corradini
Coordenador de iconografia	Cristina Akisino
Pesquisa iconográfica	Cesar Atti, Mariana Valeiro
Gerente de arte	Nair de Medeiros Barbosa
Coordenador de arte	Vagner Castro dos Santos
Assistente de produção	Grace Alves
Projeto gráfico e capa	Homem de Melo & Troia Design
Imagem de capa	Cristina Orsi/Foto de Rita Barreto Bonecas de Cabaças do Mato Grosso do Sul sobre o trabalho da artista Cristina Orsi
Ilustrações	Alex Silva, Amilcar Pinna, Bruna Brito, Davi Kalil, Fernando Monteiro, Jesus Dias, Júlia Bax, Luis Moura, Paulo César, Roberto Weigand, Rodval Matias Mapas: Mário Yoshida
Diagramação	Alexandre Silva, Mauro Moreira, Walter Reinoso
Impressão e Acabamento	EGB - Editora Gráfica Bernardi - Ltda.

Dados Internacionais de Catalogação na Publicação (CIP)
(Câmara Brasileira do Livro, SP, Brasil)

Rama, Angela
    Projeto Prosa : geografia: ensino fundamental, 5º ano / Angela Rama, Marcelo Moraes Paula. – São Paulo : Saraiva, 2008.

    Suplementado pelo manual do professor.
    ISBN 978-85-02-07440-8 (aluno)
    ISBN 978-85-02-07441-5 (professor)

    1. Geografia (Ensino fundamental) I. Paula, Marcelo Moraes. II. Título.

08-04597   CDD-372.891

Índices para catálogo sistemático:
1. Geografia : Ensino fundamental 372.891

Impresso no Brasil
4   5   6   7   8   9   10

Esta obra está em conformidade com as novas regras do Acordo Ortográfico da Língua Portuguesa, assinado em Lisboa, em 16 de dezembro de 1990, e aprovado pelo Decreto Legislativo nº 54, de 18 de abril de 1995, publicado no *Diário Oficial da União* em 20/04/1995 (Seção I, p. 5585).

O material de publicidade e propaganda reproduzido nesta obra está sendo utilizado apenas para fins didáticos, não representando qualquer tipo de recomendação de produtos ou empresas por parte do(s) autor(es) e da editora.

Editora Saraiva

2010

R. Henrique Schaumann, 270 – CEP 05413-010 – Pinheiros – São Paulo-SP
Tel.: PABX (0**11) 3613-3000 – Fax: (0**11) 3611-3308
Televendas: (0**11) 3616-3666 – Fax Vendas: (0**11) 3611-3268
Atendimento ao professor: (0**11) 3613-3030 Grande São Paulo – 0800-0117875 Demais localidades
Endereço Internet: www.editorasaraiva.com.br – E-mail: atendprof.didatico@editorasaraiva.com.br

Conheça a organização do seu livro

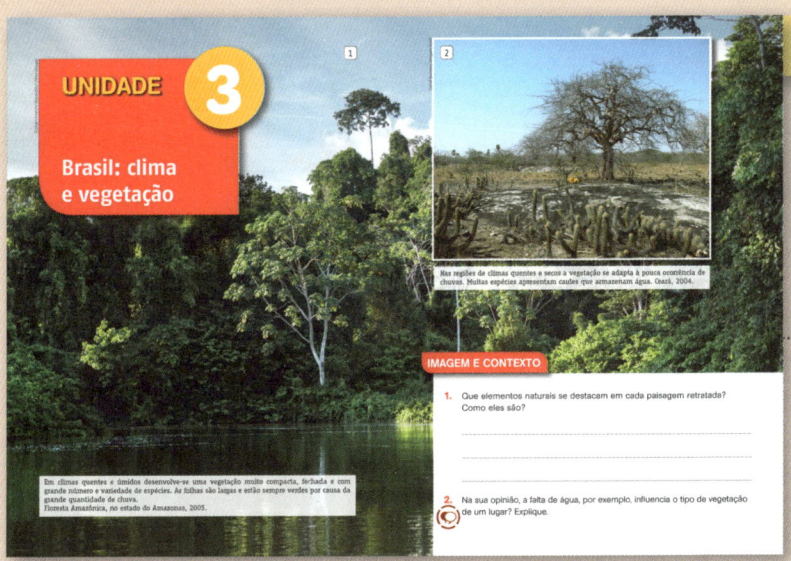

Unidades

Seu livro tem oito unidades. As aberturas das unidades trazem imagens que introduzem o trabalho a ser desenvolvido.

Na seção **IMAGEM E CONTEXTO** você vai ser convidado a observar os elementos da imagem e relacioná-los com seus conhecimentos sobre o tema ou com o seu dia-a-dia.

Capítulos

Cada unidade é dividida em dois capítulos, que exploram e desenvolvem os conteúdos e conceitos estudados.
Cada capítulo é composto de seções. Em cada seção você desenvolve atividades variadas, escritas e orais, em dupla com um colega ou em grupo.

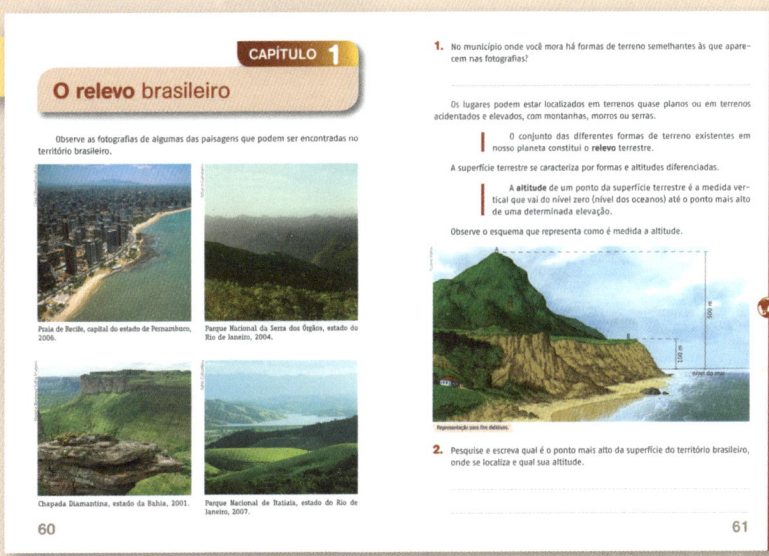

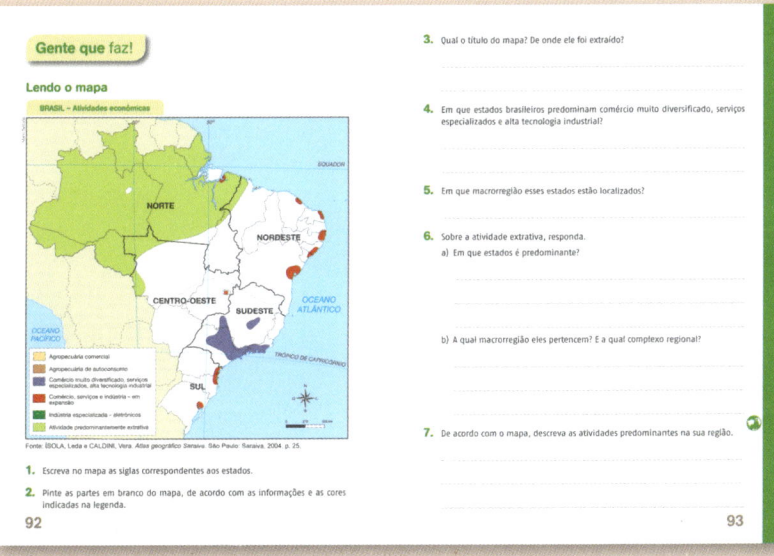

Gente que faz!

Nesta seção você faz, individualmente ou em grupo, atividades práticas de cartografia, produção de textos, murais e pesquisas.

Conheça a organização do seu livro

Rede de Ideias

As atividades propostas vão ajudá-lo a retomar as principais ideias do que você trabalhou na unidade.

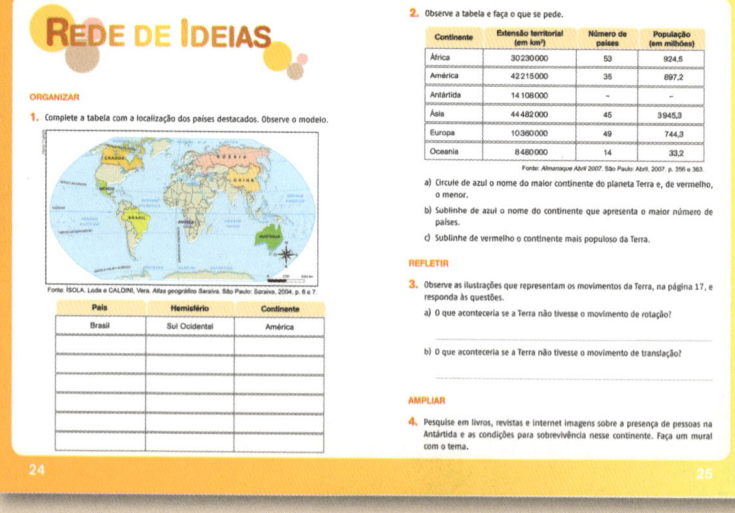

Convivência

Quatro das oito unidades terminam com esta seção. É o momento de refletir sobre valores e atitudes que vão contribuir para você se tornar um cidadão consciente e participante.

Organizadores

Ao longo do livro você vai ser convidado a realizar várias atividades. Em algumas delas, fique atento para as orientações com ícones.

Conheça os significados dos ícones:

 atividade oral

atividade em dupla

 atividade em grupo

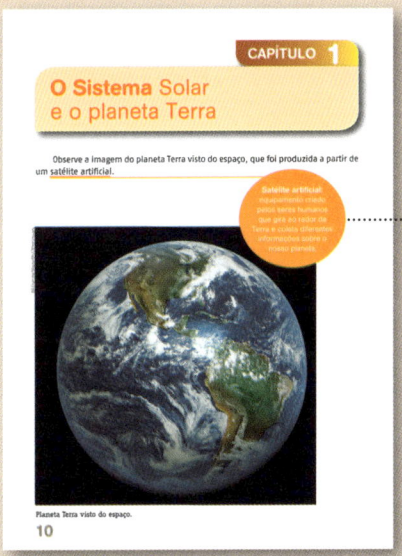

Domicílio: moradia (casa, edifício, embarcação, veículo, barraca, entre outros).

Glossário:
Nos capítulos, alguns termos e expressões mais complexos são definidos ao lado do texto correspondente, a fim de facilitar a leitura e a compreensão.

Sugestão de leitura:
As unidades trazem sugestões de leitura, com a indicação de livros que permitem enriquecer os assuntos abordados.

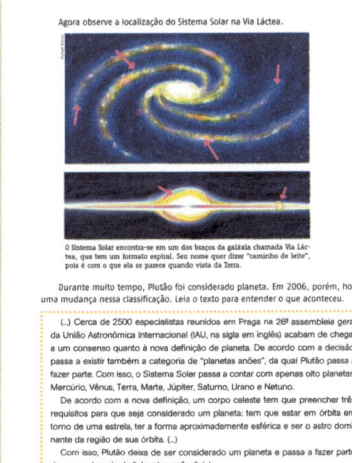

Boxes:
Ao longo do livro, você encontra boxes especiais onde são apresentados textos complementares sobre os conteúdos estudados.

Sumário

Unidade 1 — Terra: localização, movimentos e continentes — 8

1. O Sistema Solar e o planeta Terra 10
- O Sistema Solar 12
- Planeta Terra: forma e movimentos 14

2. Terra: continentes e representação 18
- Paralelos e meridianos 20

Gente que faz! 22
- A teoria da origem do universo

Rede de Ideias 24

Unidade 2 — O território brasileiro — 26

1. O Brasil na América 28
- Divisões do continente americano 30

Gente que faz! 32
- Os países vizinhos do Brasil

2. Aspectos do território brasileiro 34

Rede de Ideias 40

Unidade 3 — Brasil: clima e vegetação — 42

1. Os climas do Brasil 44
- Os tipos de clima do Brasil 46

2. A vegetação brasileira 50
- Formações vegetais nativas do Brasil 52

Rede de Ideias 56

Unidade 4 — Brasil: relevo e rios — 58

1. O relevo brasileiro 60
- As principais formas de relevo no Brasil 62

2. Os rios do Brasil 66
- Localizando os rios do Brasil 68

Rede de Ideias 70

Convivência 72
- Nosso litoral é lindo!

Unidade 5 — O Brasil e suas regiões — 74

1. As divisões regionais do Brasil 76
2. Aspectos das grandes regiões do IBGE 80
   Gente que faz! 92
   "Lendo o mapa"
   Rede de Ideias 94

Unidade 6 — Distribuição da população e diversidade cultural — 96

1. Quantos somos e onde vivemos 98
   Distribuição da população no território 100
   Gente que faz! 106
   População e economia
2. População brasileira e diversidade cultural 108
   Rede de Ideias 112

Unidade 7 — Movimentos da população brasileira — 114

1. A evolução do crescimento da população brasileira 116
2. De um lugar para outro 120
   Os principais fluxos migratórios no Brasil 122
   Rede de Ideias 126
   Convivência 128
   Melhor idade

Unidade 8 — Condições de vida — 130

1. As desigualdades sociais 132
2. Condições de vida e cidadania 136
   Gente que faz! 138
   Água para todos
   Rede de ideias 140
   Convivência 142
   Problemas que são de todos os brasileiros!

UNIDADE 1

Terra: localização, movimentos e continentes

Vista externa do Observatório de Yerkes, nos Estados Unidos da América.

Vista interna do Observatório de Yerkes, nos Estados Unidos da América.

IMAGEM E CONTEXTO

1. O que você acha que é possível observar do lugar retratado?

2. Que instrumento está em destaque na imagem?

3. Em sua opinião, o que é universo?

4. Qual o nome da estrela responsável pela luz recebida pelo planeta Terra?

CAPÍTULO 1

O Sistema Solar e o planeta Terra

Observe a imagem do planeta Terra visto do espaço, que foi produzida a partir de um satélite artificial.

Satélite artificial: equipamento criado pelos seres humanos que gira ao redor da Terra e coleta diferentes informações sobre o nosso planeta.

Planeta Terra visto do espaço.

Durante muito tempo as pessoas pensaram que o planeta Terra era plano e que ocupava o centro do universo. Com o desenvolvimento dos conhecimentos científicos, sabemos que a Terra não é plana e que é somente mais um planeta entre tantos astros localizados no universo. Por isso se diz, popularmente, que a Terra é apenas um "grão de areia" no universo.

1. Associe as cores que aparecem na imagem com o que elas representam. Pinte os quadrinhos de acordo com essas cores.

▭ Branco		▭ Continente
▬ Azul		▭ Oceano
▬ Verde e tons de marrom		▭ Nuvem

2. Qual é a forma do planeta Terra?

_____

_____

3. Na imagem, não é possível visualizar todas as partes do planeta Terra. Na sua opinião, por que isso não é possível?

_____

_____

_____

4. Observe a imagem da Terra e responda.

a) Na sua opinião, quais são os continentes mostrados?

_____

_____

b) Você consegue localizar o Brasil aproximadamente? Circule o local.

O Sistema Solar

Observe a localização do planeta Terra no Sistema Solar.

O **Sol** é o único astro do Sistema Solar que apresenta luz própria. Ele ilumina, aquece e determina os movimentos dos outros astros.

Além da **Terra**, são conhecidos mais sete planetas que giram ao redor do Sol.

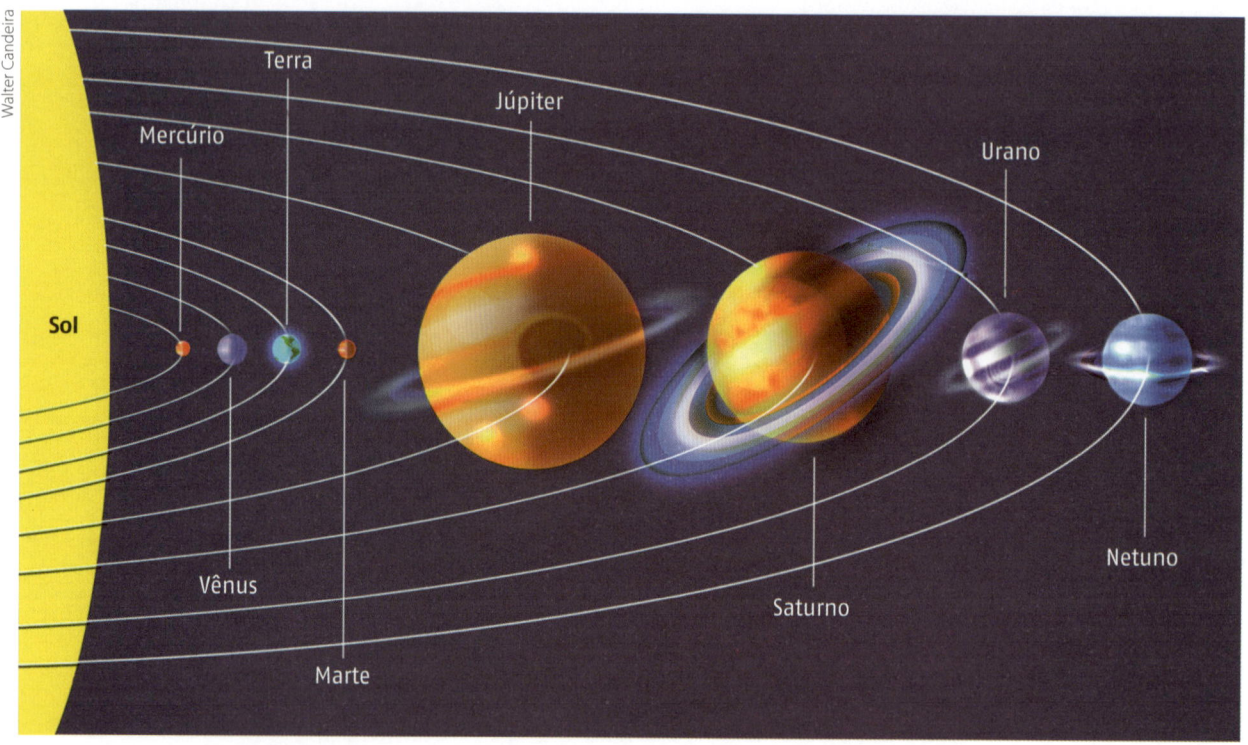

O **Sistema Solar** é um conjunto de astros formado pelo Sol e por outros astros menores (planetas, satélites naturais, cometas, meteoros, entre outros) que giram ao redor dele.

1. Qual é o planeta mais próximo do Sol? E o mais distante?

_____

2. Como você acha que é a temperatura nesses planetas?

_____

_____

Agora observe a localização do Sistema Solar na Via Láctea.

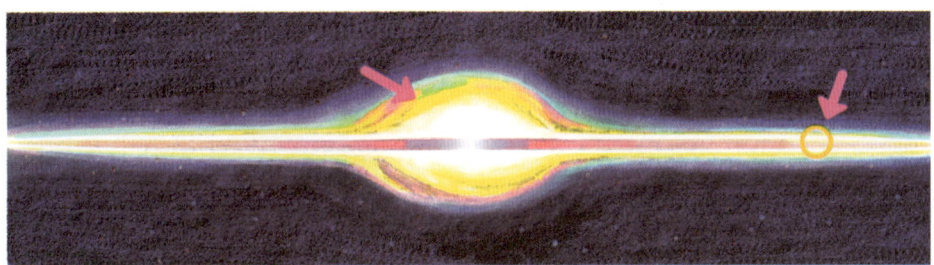

O Sistema Solar encontra-se em um dos braços da galáxia chamada Via Láctea, que tem um formato espiral. Seu nome quer dizer "caminho de leite", pois é com o que ela se parece quando vista da Terra.

Durante muito tempo, Plutão foi considerado planeta. Em 2006, porém, houve uma mudança nessa classificação. Leia o texto para entender o que aconteceu.

(...) Cerca de 2500 especialistas reunidos em Praga na 26ª assembleia geral da União Astronômica Internacional (IAU, na sigla em inglês) acabam de chegar a um consenso quanto à nova definição de planeta. De acordo com a decisão, passa a existir também a categoria de "planetas anões", da qual Plutão passa a fazer parte. Com isso, o Sistema Solar passa a contar com apenas oito planetas: Mercúrio, Vênus, Terra, Marte, Júpiter, Saturno, Urano e Netuno.

De acordo com a nova definição, um corpo celeste tem que preencher três requisitos para que seja considerado um planeta: tem que estar em órbita em torno de uma estrela, ter a forma aproximadamente esférica e ser o astro dominante da região de sua órbita. (...)

Com isso, Plutão deixa de ser considerado um planeta e passa a fazer parte da nova categoria de "planetas anões". (...)

Franciane Lovati, Ciência Hoje On-line, 24/08/2006.
Disponível em: <http://cienciahoje.uol.com.br/55835>. Acesso em: julho de 2008.

Planeta Terra: forma e movimentos

Como você observou, o planeta Terra localiza-se entre Vênus e Marte. Ele é o quinto maior planeta do Sistema Solar e o terceiro mais próximo do Sol.

> Por meio de estudos e análises de imagens de satélites artificiais, foi comprovado que a Terra tem a forma arredondada, ligeiramente achatada nos polos. Essa forma da Terra é chamada **geoide**.

Polo: uma das extremidades do planeta Terra. Existem no planeta Terra o polo Norte e o polo Sul.

Assim como os demais astros do universo, o planeta Terra realiza vários movimentos. Os dois mais importantes são o de **rotação** e o de **translação**.

O movimento de rotação

Leia o texto.

No Brasil, onze e meia da manhã, Clara almoçava; às onze e meia da noite, no Japão, Iskuro ia dormir (...).

Se às sete horas de uma noite qualquer a menina jantava com os pais num restaurante de comida japonesa, por exemplo, o japonesinho, lá do outro lado do mundo, acordava morrendo de fome...

Cláudio Martins. *Confuso horário*. São Paulo: Formato, 1995. p. 6.

Como você leu no texto, enquanto é dia no Brasil, é noite no Japão. E, ao contrário, quando é noite no Brasil, é dia no Japão. Entre os dois países há uma diferença de 12 horas. Essa diferença em relação ao horário acontece por causa do movimento de rotação.

A **rotação** é o movimento que a Terra faz em torno do eixo terrestre, ou seja, ela gira ao redor de si mesma. Observe a ilustração.

Eixo terrestre: linha reta imaginária que liga um polo ao outro, atravessando a Terra.

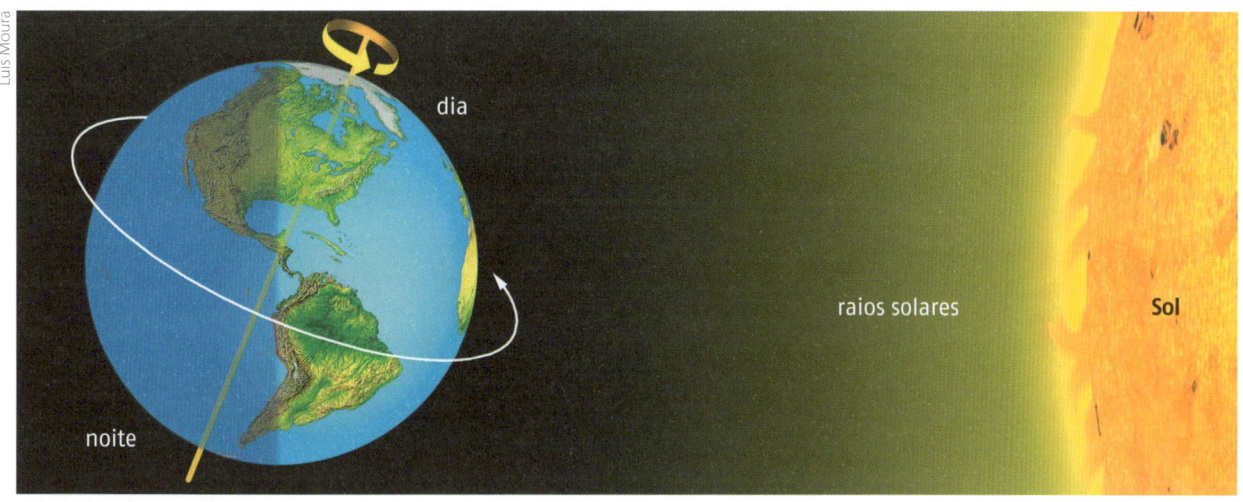

Representação para fins didáticos.

A rotação dura cerca de 24 horas. É ela que faz com que vejamos o Sol, pela manhã, de um lado (leste) e, à tarde, do lado oposto (oeste). Os dias, as noites e os diferentes horários da Terra são consequências da rotação.

1. Leia o texto que trata da origem da noite segundo o povo indígena kaxinawa e responda.

> No princípio, quando nesse mundo só havia Kaxinawas, só havia dia, porque o buraco do sol estava aberto.
>
> Mas certa vez, o Pajé encontrou o buraco da noite que estava tapado e foi aberto por ele. Então a noite saiu e tudo escureceu. Os kaxinawas dormiram até que o Pajé destapou o buraco do sol.
>
> E assim o Pajé pôs um kaxinawa para abrir e fechar o buraco do sol e outro para abrir e fechar o buraco da noite. Quando um abria o outro fechava, e começou a haver dia e noite.
>
> Disponível em: <www.rosanevolpatto.trd.br/indioskaxinauas.html>.
> Acesso em: dezembro de 2007.

- Para os indígenas kaxinawas onde estavam o dia e a noite?

15

O movimento de translação

Observe as fotografias.

Em janeiro, Fred e Tom brincam na neve, no rigoroso inverno da Dinamarca.

Enquanto isso, também em janeiro, no Brasil, Paulo e Tiago aproveitam o verão na praia.

2. Você sabe por que o Brasil e a Dinamarca não têm as mesmas estações nas mesmas épocas do ano?

As fotografias mostram que, enquanto é inverno em um lugar, no outro é verão. Para saber por que isto acontece, temos que entender o movimento de translação.

> A **translação** é o giro que a Terra faz ao redor do Sol em aproximadamente 365 dias. A principal consequência do movimento de translação são as estações do ano, que são primavera, verão, outono e inverno.

As estações ocorrem em épocas diferentes no hemisfério Norte e no hemisfério Sul, por causa da inclinação do eixo terrestre. Observe na ilustração que esse eixo é inclinado em relação ao plano do movimento em torno do Sol.

Observe a ilustração.

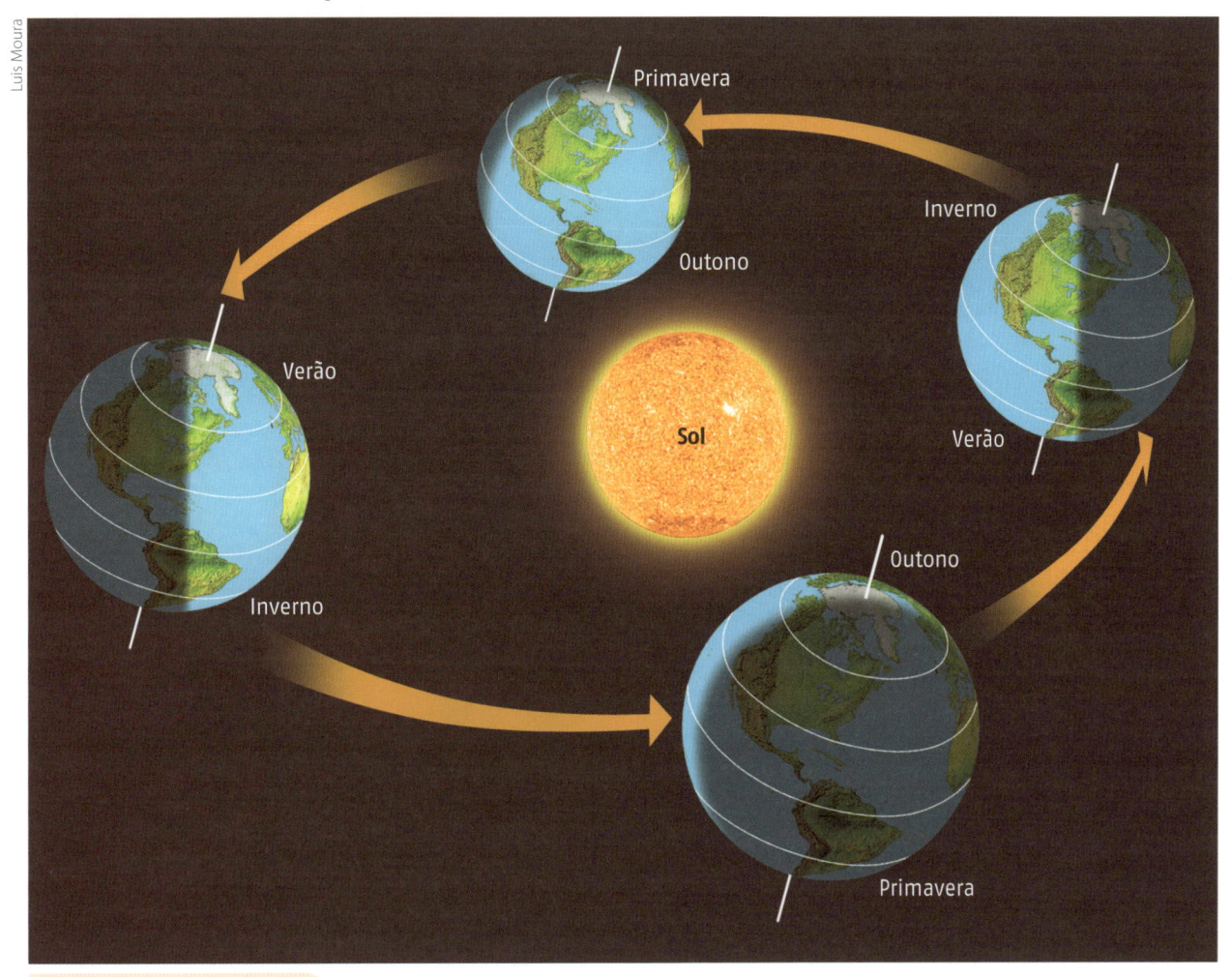

Representação para fins didáticos.

A inclinação do eixo terrestre contribui para que grandes áreas do planeta Terra recebam diferentes intensidades de luz e calor do Sol ao longo do ano.

Durante alguns meses, as áreas localizadas ao norte da linha do Equador recebem maior quantidade de luz solar que as situadas ao sul. Durante os outros meses, ocorre o inverso. Isso explica, por exemplo, por que é inverno em alguns lugares enquanto em outros é verão.

Foram estabelecidos períodos para cada estação do ano:
- De 21 de dezembro a 20 de março: inverno no hemisfério Norte e verão no hemisfério Sul.
- De 21 de março a 20 de junho: primavera no hemisfério Norte e outono no hemisfério Sul.
- De 21 de junho a 22 de setembro: verão no hemisfério Norte e inverno no hemisfério Sul.
- De 23 de setembro a 20 de dezembro: outono no hemisfério Norte e primavera no hemisfério Sul.

CAPÍTULO 2

Terra: continentes e representação

Observe no mapa os continentes e os oceanos que formam o planeta Terra.

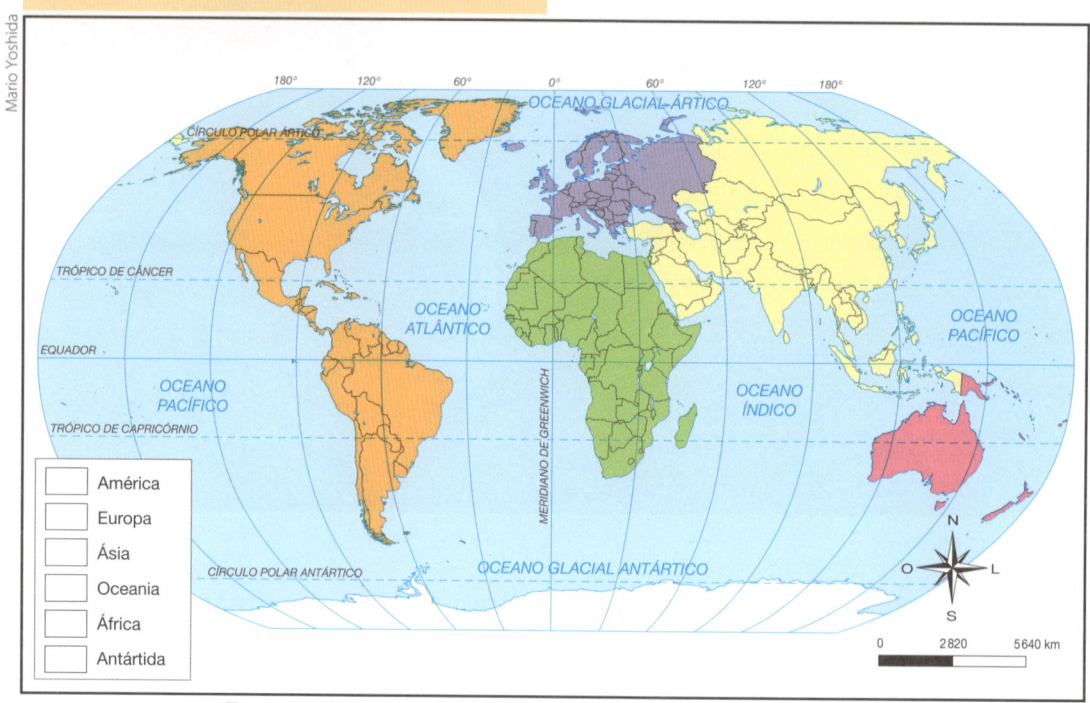

Fonte: IBGE. *Atlas geográfico escolar*. 4. ed. Rio de Janeiro: IBGE, 2007. p. 34.

1. Pinte a legenda de acordo com o mapa.

2. Na sua opinião, o que é continente? E o que é oceano? Converse com os colegas.

> Ao observar o mapa percebemos que os **continentes** são grandes porções de terra que não estão cobertas por água, isto é, são porções de **terras emersas**. Essas grandes porções de terras emersas são separadas umas das outras, na maioria dos casos, pelas águas de mares e oceanos.
>
> Já os **oceanos** são imensas extensões de água salgada que cobrem a maior parte da superfície terrestre. Abaixo dos oceanos também existem terras, cobertas pela água salgada, denominadas **terras submersas**.

A representação da Terra

O mapa que representa a Terra é denominado planisfério. Além do planisfério, outra forma bastante utilizada para representá-la, com seus continentes e oceanos, é o globo terrestre. Observe-o.

> O **planisfério** é a representação da **esfera** terrestre em um **plano**.
>
> O **globo terrestre** é uma espécie de miniatura do nosso planeta, ou seja, é uma representação esférica da Terra em tamanho reduzido.

Outra diferença entre essas duas representações é que o planisfério nos possibilita visualizar toda a superfície do planeta de uma só vez. Já o globo terrestre não possibilita ver todos os continentes e oceanos ao mesmo tempo. Ele tem que ser girado para podermos ver os continentes e oceanos que formam o planeta Terra.

Paralelos e meridianos

Você viu que no globo terrestre e no planisfério existem linhas traçadas sobre eles. Essas linhas não existem na realidade. São imaginárias e foram criadas para facilitar a localização no planeta Terra. Elas recebem o nome de paralelos e meridianos.

> Os **paralelos** são linhas imaginárias que se encontram paralelas à linha do Equador.
> A **linha do Equador** divide o planeta Terra em duas partes: o hemisfério Norte e o hemisfério Sul.

Além da linha do Equador, os principais paralelos são o Círculo Polar Ártico, o Trópico de Câncer, o Trópico de Capricórnio e o Círculo Polar Antártico.

> Os **meridianos** são linhas imaginárias traçadas de norte a sul, cruzando os polos.
>
> O **Meridiano de Greenwich** é o principal meridiano terrestre. Ele divide nosso planeta em duas partes: o hemisfério Oeste (Ocidental) e o hemisfério Leste (Oriental).

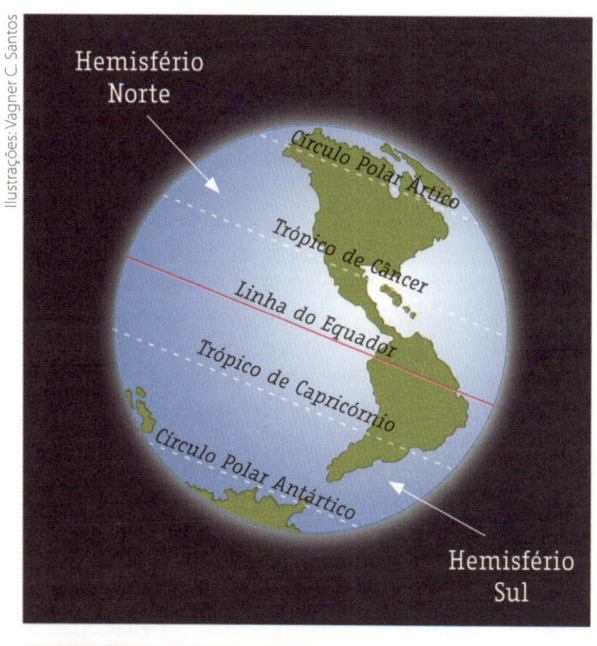
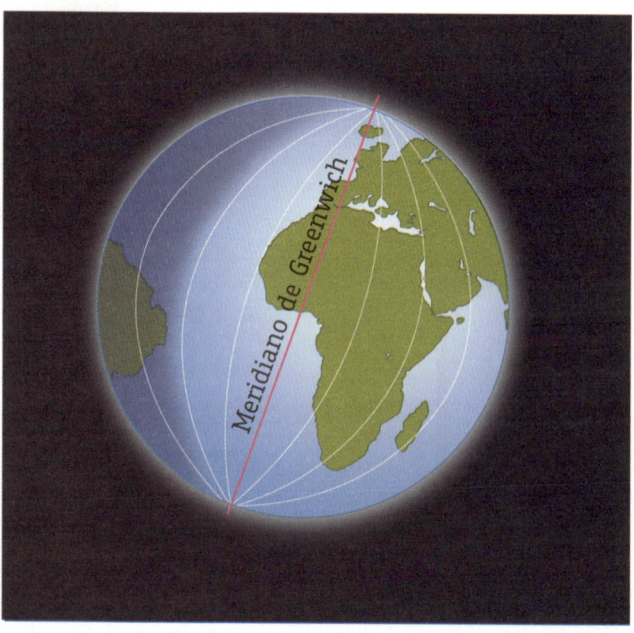

Representações para fins didáticos.

1. Observe o planisfério da página 18 e complete o quadro com os continentes e os oceanos que formam o planeta Terra.

Continentes	Oceanos

2. Responda.

a) Que oceano banha o Brasil?

_____

b) Em relação à linha do Equador, em qual hemisfério se encontra a maior parte do território brasileiro?

_____

c) Quais são os principais paralelos que atravessam o território brasileiro?

_____

d) Em relação ao Meridiano de Greenwich, em qual hemisfério se encontra o território brasileiro?

_____

SUGESTÃO DE LEITURA

Dança dos planetas, de Edgar Rangel Netto, FTD.

Mapas: a realidade no papel, de Rosaly Chianca, Ática.

Gente que faz!

A teoria da origem do universo

Com o professor e os colegas de sala, leia o texto que apresenta duas teorias sobre a origem do universo.

> Você já deve ter olhado para o céu e perguntado: de onde vieram os planetas, o Sol, as estrelas? Ou olhado para a Terra e perguntado de onde vieram as rochas, os animais, as plantas e os seres humanos. Para os cientistas, tudo o que existe no universo veio de uma bolha que, há cerca de 10 ou 20 bilhões de anos, surgiu em um tipo de "sopa" quentíssima e começou a crescer, dando origem a toda a matéria que conhecemos.
>
> Essa bolha era formada de partículas de luz (fótons) e outras partículas minúsculas, que se criavam e se destruíam o tempo todo. Os cientistas chamam essa teoria que tenta explicar a origem de todas as coisas de *Big-Bang*, expressão em inglês que quer dizer "Grande Explosão". (...)
>
> Mas nem todos os cientistas concordam sobre detalhes do *Big-Bang*. Uns acreditam que a matéria existente no universo formou primeiramente as galáxias, que ficaram tão grandes que se quebraram e os pedaços viraram as primeiras estrelas. Outros acham que ocorreu o contrário: primeiro surgiram as estrelas e, aos poucos, elas foram se juntando e formaram as galáxias.

Faça uma pesquisa para apresentar as teorias que explicam a origem do universo e dos astros. Peça a orientação do professor.

Organizem grupos de 3 ou 4 componentes.

- Vocês deverão procurar em livros, revistas, jornais e internet textos e imagens que apresentam teorias sobre a origem do universo e dos astros.
- Escolham a teoria que vocês consideram a mais interessante ou a mais aceita pelos cientistas.
- Montem um painel com textos produzidos por vocês que expliquem a teoria.
- Ilustrem o painel com imagens.
- Organizem a apresentação do painel e da teoria. O professor deverá organizar a apresentação de todos os grupos.

Edwin Hubble foi um importante astrônomo estadunidense, que viveu de 1889 a 1953, realizando muitas pesquisas e estudos sobre o universo. Entre seus estudos, descobriu diversas galáxias e demonstrou que o universo está em expansão, contribuindo, assim, para a teoria do *Big-Bang*.

John Mather (esquerda) e George Smoot, ganhadores do Prêmio Nobel de Física de 2006. Esses cientistas estadunidenses confirmaram, em 1992, a teoria do *Big-Bang* com a utilização do satélite Cobe, da Nasa (Agência Espacial Norte-Americana), colocado em órbita em 1989.

Seja como for, as galáxias povoaram todo o universo. É raro existir uma galáxia isolada. Elas tendem a se juntar em grupos que podem incluir desde dezenas de galáxias até superaglomerados, com milhares delas. A Via Láctea (...) formou-se nessa fase.

Há outras teorias para explicar a origem do universo, mas por enquanto o *Big--Bang* é a teoria mais aceita. Com o passar do tempo, os cientistas foram reunindo dados para provar que o *Big-Bang* realmente aconteceu. Com os telescópios modernos, eles têm conseguido observar cada vez mais longe o universo, e com o satélite norte-americano Cobe, eles puderam "fotografar" um momento muito próximo à origem do universo.

Disponível em: <http://cienciahoje.uol.com.br/controlPanel/materia/view/985>.
Acesso em: dezembro de 2007.

Após as apresentações, conversem sobre as teorias apresentadas e respondam em grupo às perguntas. Registrem as respostas no painel.

1. Qual é a teoria da origem do universo e dos astros mais aceita atualmente?

2. Quais são as razões que levam essa teoria a ser a mais aceita pela comunidade científica?

Rede de Ideias

ORGANIZAR

1. Complete a tabela com a localização dos países destacados. Observe o modelo.

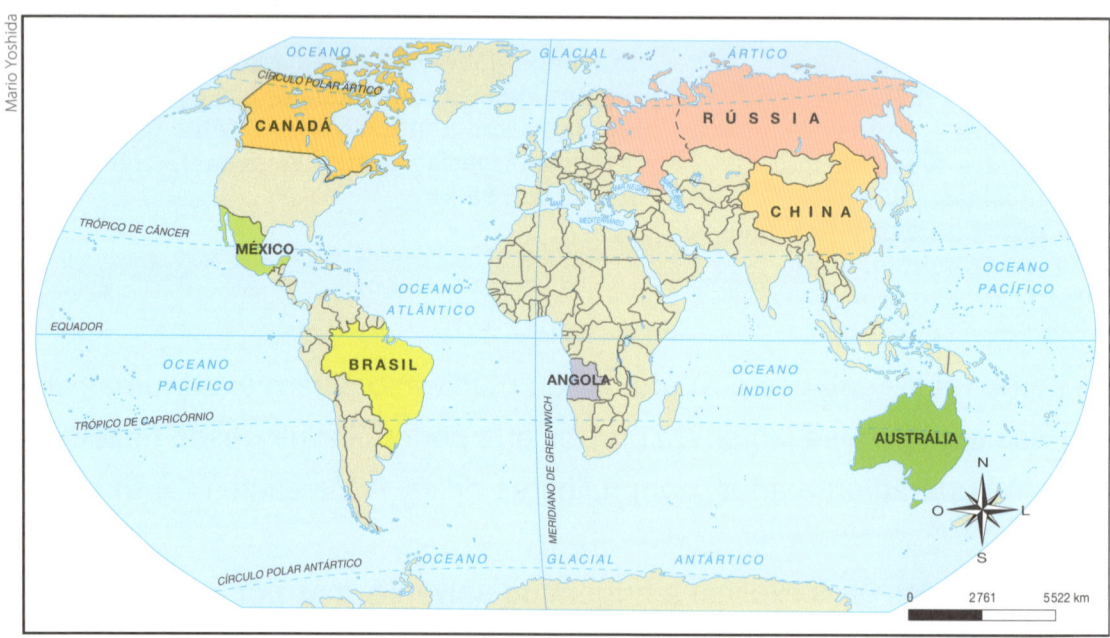

Fonte: ÍSOLA, Leda e CALDINI, Vera. *Atlas geográfico Saraiva*. São Paulo: Saraiva, 2004. p. 6 e 7.

País	Hemisfério	Continente
Brasil	Sul Ocidental	América

2. Observe a tabela e faça o que se pede.

Continente	Extensão territorial (em km²)	Número de países	População (em milhões)
África	30 230 000	53	924,5
América	42 215 000	35	897,2
Antártida	14 108 000	–	–
Ásia	44 482 000	45	3 945,3
Europa	10 360 000	49	744,3
Oceania	8 480 000	14	33,2

Fonte: *Almanaque Abril 2007*. São Paulo: Abril, 2007. p. 356 e 363.

a) Circule de azul o nome do maior continente do planeta Terra e, de vermelho, o menor.

b) Sublinhe de azul o nome do continente que apresenta o maior número de países.

c) Sublinhe de vermelho o continente mais populoso da Terra.

REFLETIR

3. Observe as ilustrações que representam os movimentos da Terra, na página 17, e responda às questões.

a) O que aconteceria se a Terra não tivesse o movimento de rotação?

_____

b) O que aconteceria se a Terra não tivesse o movimento de translação?

_____

AMPLIAR

4. Pesquise em livros, revistas e internet imagens sobre a presença de pessoas na Antártida e as condições para sobrevivência nesse continente. Faça um mural com o tema.

UNIDADE 2

O território brasileiro

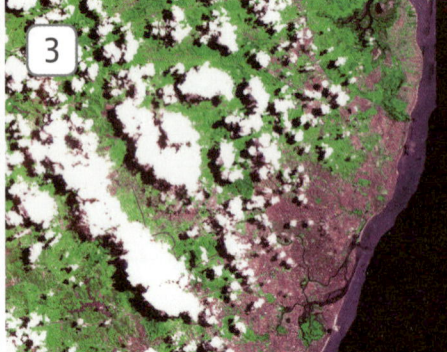

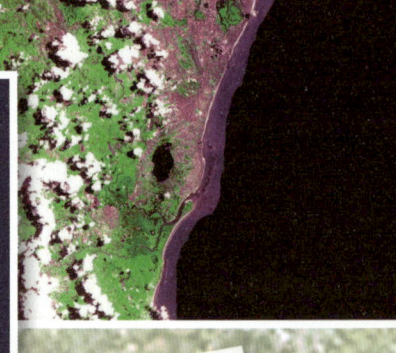

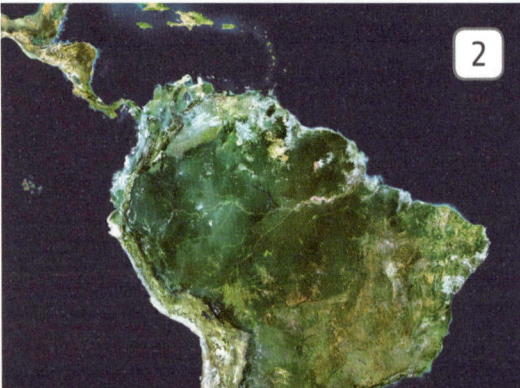

CBERS/INPE - divulgação

Science Photo Library/LatinStock

Fotografia de satélite da América do Sul.

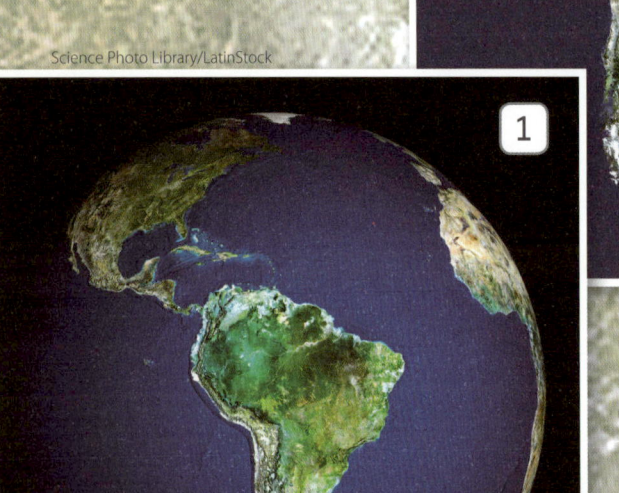

Science Photo Library/LatinStock

Fotografia de satélite do planeta Terra, com destaque para o continente americano.

Recife, Brasil.

Fotografia de satélite da costa de Recife.

Bairro do Recife Antigo.

Praça do Marco Zero, Recife (PE).

IMAGEM E CONTEXTO

1. Numere os quadrinhos de acordo com cada fotografia.

☐ Planeta Terra.

☐ Parte do território brasileiro, com destaque para Recife.

☐ Continente sul-americano, com Brasil em destaque.

2. Qual paisagem retratada:

parece estar mais próxima? ☐

parece estar mais distante? ☐

CAPÍTULO 1

O Brasil na América

Você observou nas imagens da abertura que temos um endereço no universo. Com o professor e os colegas, leia a letra de uma música que retrata esse tema.

Ora bolas

Oi, oi, oi
Olha aquela bola
A bola pula bem no pé
No pé do menino
Quem é esse menino?
(Esse menino é meu vizinho)
Onde ele mora? (Mora lá naquela casa)
Onde está a casa? (A casa tá na rua)
Onde está a rua? (Tá dentro da cidade)
Onde está a cidade? (Tá do lado da floresta)
Onde é a floresta? (A floresta é no Brasil)
Onde está o Brasil?
Tá na América do Sul
No continente americano
Cercado de oceano
E das terras mais distantes
De todo o planeta
E como é o planeta?
(O planeta é uma bola que rebola lá no céu)

Paulo Tatit e Edith Derdyk. In: Palavra Cantada. *Canções de brincar*. CD. Rio de Janeiro: Velas, 1996.

1. De acordo com o que você estudou na Unidade 1, explique a última frase da canção: "O planeta é uma bola que rebola lá no céu".

Cristóvão Colombo e a América

Em 1492, Cristóvão Colombo navegava pelas águas do oceano Atlântico. Saiu da Espanha em direção à Ásia à procura de uma rota que o levasse às Índias.

Nessa região, os europeus tinham interesse em importantes produtos para a época, tais como perfumes, tecidos, pedras preciosas e especiarias.

Com informações de que a Terra era esférica, como asseguravam os estudos e os cartógrafos da época, Colombo concluiu que poderia chegar à região das Índias navegando para o Oeste.

Os cálculos de Colombo não eram precisos e ele não sabia que entre a Europa e a Ásia havia um grande continente.

Ele encontrou terras que os europeus desconheciam e que mais tarde passariam a se chamar **América**, ou "terra de Américo", em homenagem a Américo Vespúcio, navegador que também participou das primeiras expedições ao continente.

> **Especiaria:** planta aromática usada para conservar os alimentos e realçar seu sabor e na produção de medicamentos. Entre as especiarias destacam-se a pimenta, o cravo, a noz-moscada e a canela.

> **Cartógrafo:** pessoa que elabora mapas.

Esta obra, feita por Theodore de Bry em 1590, representa o desembarque de Cristóvão Colombo em 12 de outubro de 1492 em uma ilha que recebeu o nome de São Salvador. Essa ilha era apenas uma pequena parte do continente que viria a se chamar América.

Divisões do continente americano

Observe este mapa, que representa o continente americano dividido em três partes: América do Norte, América Central e América do Sul.

Fonte: ÍSOLA, Leda e CALDINI, Vera. *Atlas geográfico Saraiva*. São Paulo: Saraiva, 2004. p. 50.

Observe no próximo mapa outra maneira de dividir o continente americano. Nessa representação, o continente americano foi dividido de acordo com a colonização e a língua falada.

> A **América Latina** foi colonizada principalmente por portugueses e espanhóis. Por esse motivo, nessa parte da América as línguas oficiais da maioria dos países são o português ou o espanhol, línguas de origem latina.

> Já a **América Anglo-saxônica**, onde o inglês é a língua predominante, foi colonizada principalmente por ingleses.

AMÉRICA – Divisão segundo a colonização

Fonte: ÍSOLA, Leda e CALDINI, Vera. *Atlas geográfico Saraiva*. São Paulo: Saraiva, 2004. p. 50.

1. Complete o quadro informando onde estão localizados os Estados Unidos, a Argentina, o México, El Salvador e Cuba. Siga o modelo.

País	Três Américas	Colonização
Brasil	América do Sul	América Latina

Gente que faz!

Os países vizinhos do Brasil

O mapa mostra o Brasil e nossos vizinhos na América do Sul. Observe que existem linhas que representam onde começa e onde termina o território de um país. Essas linhas recebem o nome de **limites**.

Para estabelecer esses limites podem ser utilizados elementos naturais, como rios ou serras, linhas imaginárias e elementos construídos pelos seres humanos, como placas, monumentos e pontes. Já as fronteiras são os trechos ou zona dos territórios próximos aos limites.

AMÉRICA DO SUL – Divisão política

Fonte: ÍSOLA, Leda e CALDINI, Vera. *Atlas geográfico Saraiva*. São Paulo: Saraiva, 2004. p. 50.

1. O mapa representa uma parte do continente americano. Qual é ela?

_____

_____

_____

2. Que países não fazem limite com o Brasil?

_____

3. Que países não são banhados por oceano?

_____

4. Complete a tabela, como no exemplo.

Direção aproximada	Países ou oceanos que se limitam com o Brasil
norte	Guiana, Suriname e Guiana Francesa
nordeste	
leste	
sudeste	
sul	
noroeste	
oeste	
sudoeste	

5. Que país possui a maior fronteira com o Brasil? E a menor?

_____

6. O estado onde você mora é vizinho de algum país da América do Sul? Qual? Se não, indique dois estados brasileiros que sejam vizinhos de algum país sul-americano.

_____

_____

7. Que países têm o seu território atravessado pelo Trópico de Capricórnio?

_____

8. No mapa da América do Sul, como foram representados os limites entre os países?

_____

_____

9. Que país vizinho do Brasil tem saída para os oceanos Atlântico e Pacífico?

_____

CAPÍTULO 2

Aspectos do território brasileiro

Observe no planisfério o território dos oito maiores países do mundo.

1. Que países têm a área territorial maior que a do Brasil?

_____

Fonte: IBGE. *Atlas geográfico escolar*. 4. ed. Rio de Janeiro: IBGE, 2007. p. 34.

> Com uma área territorial de aproximadamente 8 514 876 km², o Brasil é o quinto maior país do mundo. É superado apenas pela Rússia, pelo Canadá, pela China e pelos Estados Unidos.

Por causa de sua grande extensão territorial, o Brasil é chamado por alguns estudiosos de "país-continente". Para ter uma ideia, o continente europeu apresenta 10 360 000 km². Vários países localizados nesse continente são menores que muitos estados brasileiros.

O território brasileiro está dividido em 27 Unidades da Federação (UF). São 26 estados e um Distrito Federal, onde está localizada a capital do nosso país, Brasília.

Fonte: ÍSOLA, Leda e CALDINI, Vera. *Atlas geográfico Saraiva*. São Paulo: Saraiva, 2004. p. 8.

2. Escreva os nomes dos estados ou do oceano que fazem limite com o estado onde você mora:

a) a norte _____

b) a nordeste _____

c) a leste _____

d) a sudeste _____

e) a sul _____

f) a noroeste _____

g) a oeste _____

h) a sudoeste _____

Extensões norte-sul e leste-oeste

Observe o mapa.

Fonte: ÍSOLA, Leda e CALDINI, Vera. *Atlas geográfico Saraiva*. São Paulo: Saraiva, 2004. p. 8.

Os **pontos extremos** do Brasil são os lugares onde se localizam os pontos mais distantes ao norte, ao sul, a leste e a oeste do território.

O território do nosso país é bastante extenso, tanto no sentido norte-sul quanto no sentido leste-oeste.

| A grande extensão do território brasileiro de **norte** a **sul** ajuda a explicar as diferenças entre as paisagens naturais do nosso país.

De norte a sul encontramos diferentes tipos climáticos e de vegetação. Por exemplo, em direção ao norte temos climas com temperaturas mais altas. E, em direção ao sul, os tipos climáticos apresentam outras características, com médias de temperatura mais baixas, especialmente no inverno.

Costa tem grande importância e deve ser preservada

O litoral brasileiro é um sistema natural e econômico de grande importância para o país. As principais capitais e cidades localizam-se na zona costeira e mais de 40% da população reside nessa faixa.

Além disso, os mares e oceanos desempenham um importante papel na vida do homem. Servem como fonte de alimentos, via de comunicação entre as diferentes regiões do planeta e contêm inúmeras riquezas minerais. A região litorânea é relevante para o turismo e o lazer, o que justifica a necessidade e a importância de sua conservação.

Disponível em: <http://educacao.uol.com.br/geografia/litoral-brasileiro.jhtm>.
Acesso em: maio de 2008.

Observe o mapa da página 36 para responder às questões.

3. Quais as extensões do território brasileiro de norte a sul e de leste a oeste?

_____

_____

4. Quais são os pontos extremos do Brasil a norte, a sul, a leste e a oeste?

_____

_____

5. Qual a extensão do limite terrestre do território brasileiro? E do limite marítimo?

_____

_____

Os fusos horários

Por causa do movimento de rotação do nosso planeta, os horários nos diversos países da Terra são diferenciados.

Assim, enquanto no Brasil são 7 horas da manhã, no Japão são 19 horas, isto é, 7 horas da noite.

Entre os estados do nosso país também há diferenciação nos horários. Isso ocorre por causa da grande extensão leste-oeste do nosso território.

No Brasil há três fusos horários distintos.

Observe o mapa.

Fuso horário: zonas da Terra que apresentam o mesmo horário em toda a sua extensão.

BRASIL – Fusos horários

Fonte: IBGE. *Atlas geográfico escolar*. 4. ed. Rio de Janeiro: IBGE, 2007. p. 91.

6. Observe a ilustração e responda.

> NESTE MOMENTO NOSSOS RELÓGIOS REGISTRAM 11 HORAS, HORA DE BRASÍLIA.

a) Que estados não seguem o mesmo horário de Brasília?

_____

_____

b) Informe que horas eram nestes lugares no momento em que a rádio noticiou a hora de Brasília:

Acre – _____

Amapá – _____

Fernando de Noronha – _____

Rio de Janeiro – _____

Estado em que você mora – _____

SUGESTÃO DE LEITURA

Confuso horário, de Cláudio Martins, Formato.

Coleção Todo o Brasil, de Cristina Von, Callis.

Rede de Ideias

ORGANIZAR

1. Observe o mapa e responda às questões.

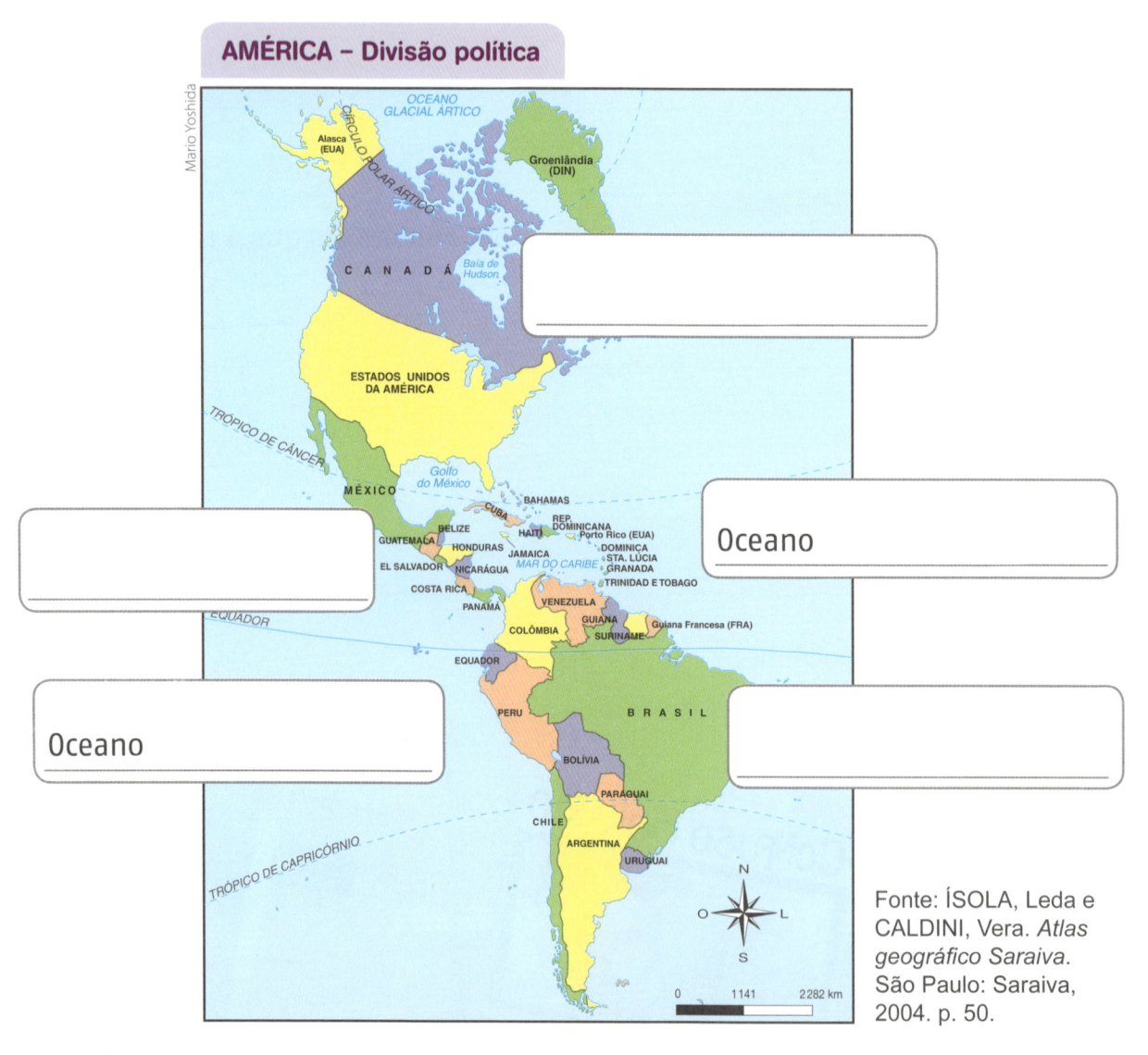

AMÉRICA – Divisão política

Oceano

Oceano

Fonte: ÍSOLA, Leda e CALDINI, Vera. *Atlas geográfico Saraiva*. São Paulo: Saraiva, 2004. p. 50.

a) Complete os quadrinhos no mapa com:
- os nomes dos oceanos
- os nomes das três Américas

b) Qual é o único país da América Latina que faz parte da América do Norte? Por que esse país faz parte da América Latina?

_____

_____

c) Que países fazem limite com o Brasil?

_____

_____

REFLETIR

2. Com a ajuda do professor, pesquise em livros, revistas e na internet quais são as quatro línguas mais faladas nos países que fazem parte do continente americano. Qual foi o principal fator que determinou o uso dessas línguas nos países da América?

_____

_____

_____

AMPLIAR

3. Escolha um país da América que você gostaria de conhecer e organize uma viagem. Siga as instruções.

- Faça um mapa da América localizando o Brasil, o estado onde você mora e o país de destino.
- Indique no mapa o trajeto a ser realizado e cite os meios de transporte que poderá utilizar. Nessa viagem você não poderá utilizar transporte aéreo.
- Pesquise as condições de clima, relevo e vegetação desse país.
- Pesquise a história, a cultura e a economia do país de destino. Informações como línguas faladas e moedas utilizadas em cada um dos países visitados são importantes. Organize um relatório com os resultados da pesquisa e mostre a um colega.

UNIDADE 3

Brasil: clima e vegetação

Em climas quentes e úmidos desenvolve-se uma vegetação muito compacta, fechada e com grande número e variedade de espécies. As folhas são largas e estão sempre verdes por causa da grande quantidade de chuva.
Floresta Amazônica, no estado do Amazonas, 2005.

2

Nas regiões de climas quentes e secos a vegetação se adapta à pouca ocorrência de chuvas. Muitas espécies apresentam caules que armazenam água. Ceará, 2004.

IMAGEM E CONTEXTO

1. Que elementos naturais se destacam em cada paisagem retratada? Como eles são?

_____

_____

_____

2. Na sua opinião, a falta de água, por exemplo, influencia o tipo de vegetação de um lugar? Explique.

CAPÍTULO 1

Os climas do Brasil

Observe o mapa.

BRASIL – Previsão do tempo em 3 de março de 2008

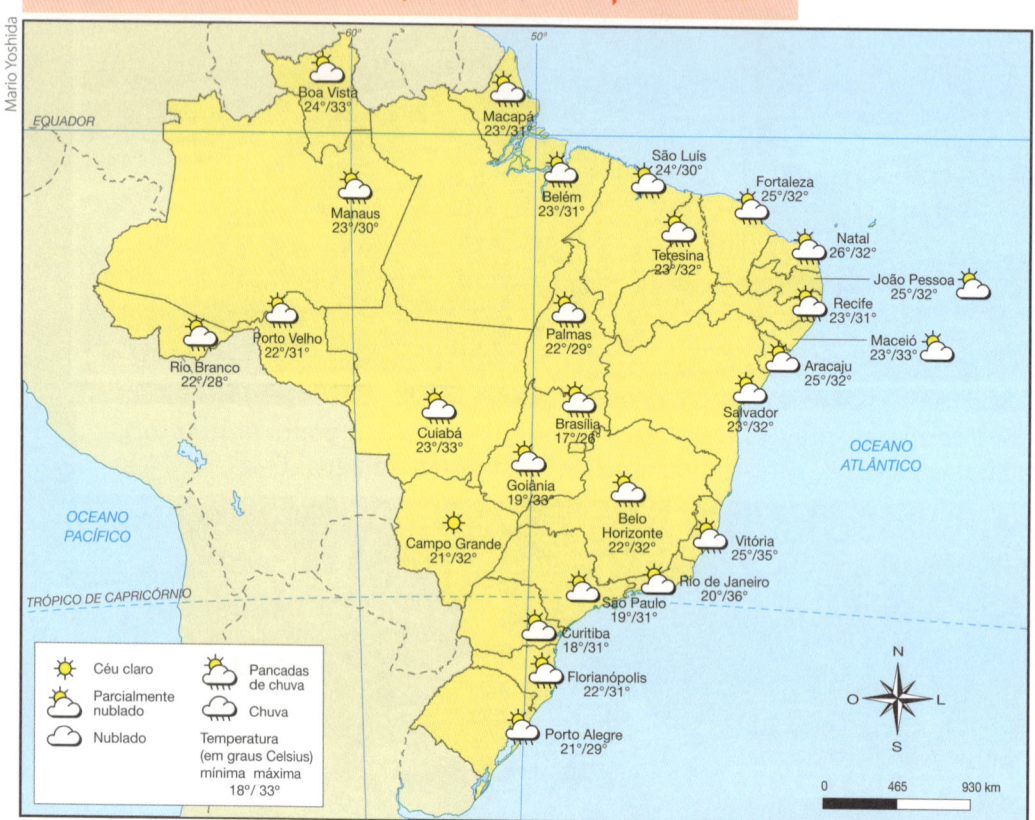

Fonte: *Folha de S.Paulo*, 03.03.2008. p. C2.

1. Qual a previsão do tempo para o estado onde você mora?

2. Para quais capitais estão previstas pancadas de chuva?

_____

_____

3. Neste momento, como está o tempo no lugar onde fica sua escola? Desenhe um símbolo correspondente à sua resposta.

Diariamente, pelos meios de comunicação (televisão, rádio, jornal), podemos ficar sabendo da previsão do tempo atmosférico para diversos lugares do Brasil e do mundo.

> O **tempo atmosférico** se refere a determinadas condições de temperatura, chuva e ventos que ocorrem em um curto período, como um dia, uma semana ou um mês.

Quando afirmamos que o dia está quente ou frio, ou que o vento está forte ou que chove, estamos nos referindo ao tempo atmosférico.

HOJE O DIA ESTÁ MUITO QUENTE!

ESTA SEMANA NÃO PAROU DE CHOVER!

Ilustrações: Amilcar Pinna

> O **clima** é a forma como os diferentes tipos de tempo ocorrem em um lugar. Para identificar o clima de um município, estado, região ou país, é necessária a observação do tempo atmosférico durante um longo período.

O clima é determinado após rigorosos estudos científicos. O tempo atmosférico é definido pelos fenômenos atmosféricos que ocorrem em um determinado instante, tais como temperatura e umidade do ar, presença de chuva e direção e intensidade do vento.

45

Os tipos de clima do Brasil

Por causa da inclinação do eixo da Terra e da sua forma quase esférica, os raios solares aquecem a superfície do planeta de modo desigual. A luz e o calor do Sol não chegam com igual intensidade a todos os lugares da Terra.

Nas regiões próximas aos polos, o Sol aquece a superfície com pouca intensidade. Nessas regiões as temperaturas são baixas, com predomínio de climas frios.

As regiões próximas à linha do Equador são mais aquecidas pelos raios solares e recebem grande quantidade de calor. Nessas regiões as temperaturas são elevadas, com predomínio de climas quentes.

> Em função das diferenças de intensidade de luz e calor que recebe do Sol, a Terra pode ser dividida em três **zonas térmicas**: polar, temperada e tropical.

MUNDO – Zonas térmicas

Fonte: IBGE. *Atlas geográfico escolar*. 4. ed. Rio de Janeiro: IBGE, 2007. p. 58.

A maior parte do território brasileiro se encontra na **zona tropical**, região onde os raios solares atuam com muita intensidade. Por isso no Brasil predominam os climas quentes, com temperaturas elevadas em grande parte do ano.

Observe, no entanto, que praticamente todo o sul do Brasil se encontra na zona temperada, onde os raios solares atuam com menor intensidade que nas zonas tropicais.

1. A maior parte das terras emersas do globo se encontra em que zona térmica?

_____

2. Em que zonas térmicas se encontra o território brasileiro?

_____

3. Além da América, que outros continentes têm áreas na zona intertropical?

_____

4. Qual o único continente totalmente localizado na zona polar?

_____

Observe as fotografias da Ponte Hercílio Luz, na cidade de Florianópolis, Santa Catarina.

Agosto de 2006.

Janeiro de 2008.

5. Essas fotografias foram feitas no mesmo lugar, mas em dias diferentes.

a) Qual fotografia foi tirada em um dia de tempo quente? ☐

b) Qual fotografia foi tirada em um dia de tempo frio? ☐

Vamos conhecer os tipos de clima do Brasil.

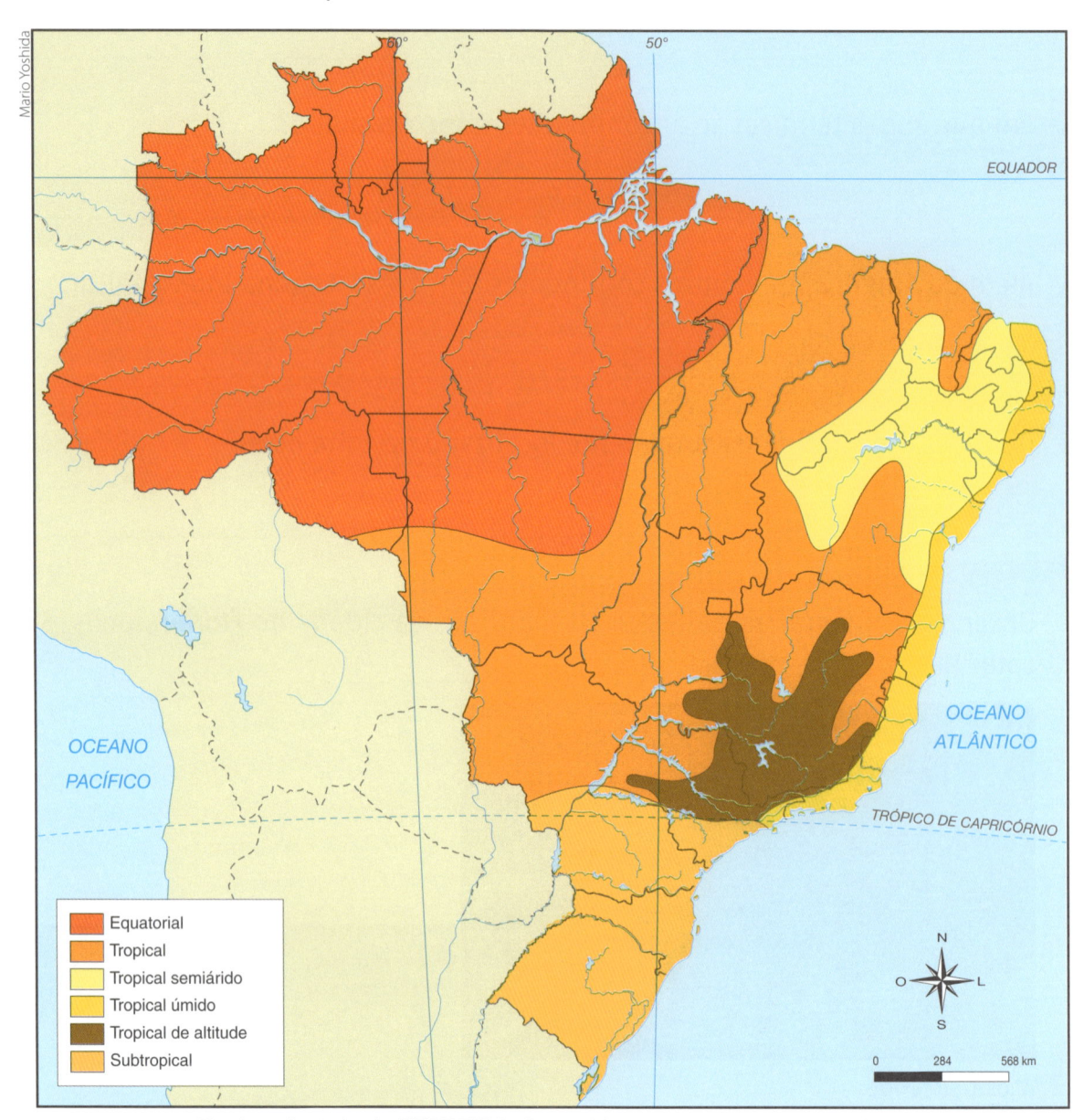

Fonte: adaptado de FERREIRA, Graça Maria Lemos. *Atlas geográfico: espaço mundial*. São Paulo: Moderna, 1998. p. 11.

Legenda:
- Equatorial
- Tropical
- Tropical semiárido
- Tropical úmido
- Tropical de altitude
- Subtropical

Clima tropical úmido: apresenta médias de temperatura superiores a 18°C. As chuvas são abundantes por causa da elevada umidade trazida pelos ventos que vêm do oceano Atlântico. Apresenta um período mais seco e outro mais chuvoso.

Clima equatorial: apresenta temperaturas elevadas, com média anual de 25°C. As chuvas são abundantes e bem distribuídas ao longo do ano. É um clima quente e úmido.

Clima tropical: as médias de temperatura são superiores a 18°C. Apresenta duas estações bem definidas, que são verão quente e chuvoso e inverno frio e seco.

Vista de Belém do Pará em dia de chuva, 2007.

Vista de Campos do Jordão em dia de frio, 2006.

Clima tropical de altitude: os locais com este tipo de clima possuem temperaturas mais baixas que as do clima tropical, e as chuvas são mais bem distribuídas durante o ano. Abrange áreas com mais de 1000 metros de altitude nos estados de São Paulo, Minas Gerais, Mato Grosso e Paraná.

Clima subtropical: clima quente no verão e frio no inverno. A temperatura média anual é geralmente inferior a 18°C. No inverno, em algumas áreas, as temperaturas podem ser menores que 0°C, o que provoca geadas e queda de neve. As chuvas são bem distribuídas ao longo do ano.

Clima tropical semiárido: as médias de temperatura são elevadas, superiores a 26°C. Chove pouco durante o ano e há longos períodos de seca. O clima é quente e seco.

CAPÍTULO 2

A vegetação brasileira

Observe os mapas.

BRASIL – Vegetação nativa

Fonte: ÍSOLA, Leda e CALDINI, Vera. *Atlas geográfico Saraiva*. São Paulo: Saraiva, 2004. p. 16.

- Floresta Amazônica
- Mata Atlântica
- Cerrado
- Caatinga
- Mata de Araucárias
- Vegetação do Pantanal
- Campos
- Vegetação litorânea

BRASIL – Vegetação em 2000

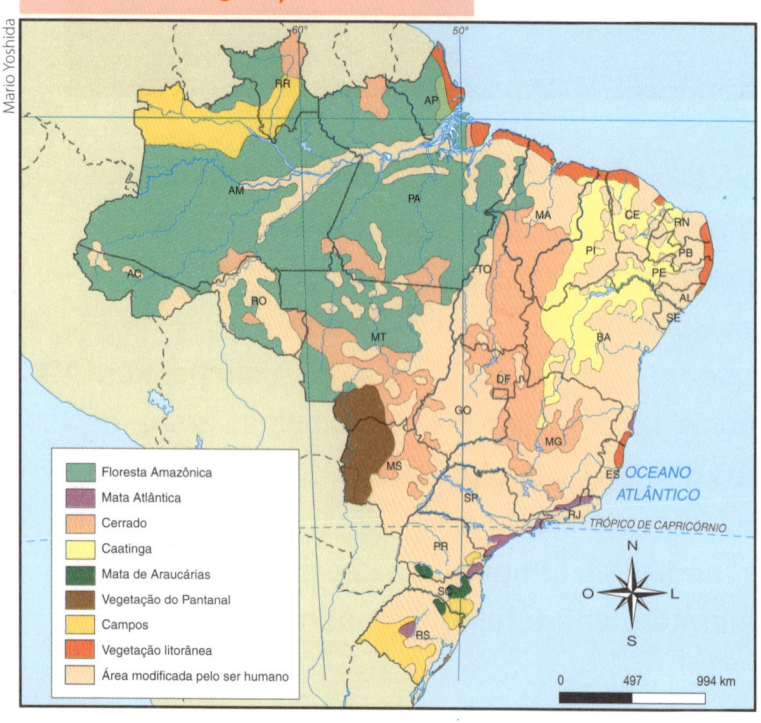

- Floresta Amazônica
- Mata Atlântica
- Cerrado
- Caatinga
- Mata de Araucárias
- Vegetação do Pantanal
- Campos
- Vegetação litorânea
- Área modificada pelo ser humano

Fonte: ÍSOLA, Leda e CALDINI, Vera. *Atlas geográfico Saraiva*. São Paulo: Saraiva, 2004. p. 16.

Desde a chegada dos primeiros colonizadores portugueses, em 1500, as formações vegetais nativas do Brasil vêm sendo devastadas. Em seu lugar, por exemplo, são desenvolvidas a agricultura, a pecuária, a exploração de madeira, grandes projetos de exploração mineral e cidades.

1. Que tipos de vegetação existiam no estado onde você mora?

_____

2. Comparando o mapa da vegetação nativa com o mapa da vegetação em 2000, que formações vegetais sofreram maiores transformações?

_____

_____

3. Escreva os nomes dos estados brasileiros que tiveram sua vegetação mais devastada.

_____

_____

_____

4. Na sua opinião, quais são as consequências do desmatamento para o ambiente?

A relação entre clima e vegetação

Clima e vegetação são elementos naturais que dependem um do outro. A temperatura e a quantidade de chuva, por exemplo, influenciam nas características da vegetação.

Certas plantas somente crescem em áreas de climas quentes e úmidos. Algumas se desenvolvem em áreas de climas frios e úmidos. Outras se adaptam às áreas de climas quentes e secos.

A vegetação, por sua vez, por meio da transpiração, contribui para a elevação da umidade, favorecendo a formação das chuvas.

Formações vegetais nativas do Brasil

Floresta Amazônica

Encontrada principalmente no norte e noroeste do território brasileiro, é a maior floresta do mundo, com grande variedade de plantas e animais. Compacta, fechada, com árvores de grande porte e próximas umas das outras, apresenta cerca de 300 espécies vegetais diferentes em uma pequena área.

Nas últimas décadas o desmatamento da Floresta Amazônica tem sido intenso por conta da exploração de madeira, do aumento da criação de gado e da agricultura, mineração e abertura de estradas.

Espécies vegetais da Floresta Amazônica no município de Manaus, estado do Amazonas, 2008.

Caatinga

É uma vegetação típica do Sertão, interior do nordeste brasileiro, onde chove pouco. Caracteriza-se pela presença de árvores com folhas pequenas ou espinhos. Algumas espécies armazenam água e outras perdem as folhas nos períodos de seca prolongada. Também é comum a presença de espécies de cactos.

Caatinga, no Parque Nacional da Serra da Capivara, estado do Piauí, 2004.

1. Na sua opinião, em qual dessas duas formações vegetais o clima é quente e úmido? Por quê?

- Converse sobre isso com os colegas e o professor.

Mata Atlântica

Ocupava uma estreita faixa no leste do Brasil, desde o estado do Rio Grande do Norte até o Rio Grande do Sul. Hoje se encontra reduzida a poucos trechos desse território. Foi a formação vegetal nativa mais devastada desde o início da colonização do Brasil. É muito fechada e exuberante, com grande variedade de espécies vegetais e animais.

Atualmente existem apenas 5% da mata original, preservados principalmente em parques e reservas ambientais. Cidades, pastagens e plantações ocupam hoje áreas onde anteriormente estava a Mata Atlântica.

Vegetação da Mata Atlântica em Ubatuba, estado de São Paulo, 2007.

Cerrado

O Cerrado predomina na região central do Brasil. Apresenta árvores espaçadas no terreno, com o tronco e os galhos retorcidos, folhas pequenas e cascas grossas para resistir às queimadas naturais que ocorrem nos períodos mais secos. Entre as árvores, crescem arbustos e plantas rasteiras.

Em algumas áreas do Cerrado surgem os "campos limpos", onde há poucas árvores e muitas gramíneas (capim), e em outras os "cerradões", onde existem muitas árvores. O Cerrado tem sido muito devastado nas últimas décadas por causa da pecuária e da expansão das lavouras de soja.

Espécies vegetais do Cerrado, no Parque Nacional das Emas, estado de Goiás, 2006.

2. Converse com os colegas e o professor: por que a Mata Atlântica e o Cerrado têm sido devastados?

Campos

Ocorrem nos estados do Rio Grande do Sul, Santa Catarina, Paraná, Mato Grosso do Sul, Minas Gerais, Pará e Amapá. Nos Campos predominam pequenos arbustos (árvores de pequeno porte) e gramíneas (pequenas plantas conhecidas como capim). No sul do Brasil esse tipo de vegetação é conhecido como pampa. Essa formação vegetal é muito utilizada para a pecuária bovina.

Campos no município de Bagé, estado do Rio Grande do Sul, 2005.

Vegetação do Pantanal

Ocorre nos estados de Mato Grosso e Mato Grosso do Sul, na fronteira com a Bolívia e o Paraguai. É uma vegetação que ocorre em climas tropicais, com temperaturas elevadas e estações secas e chuvosas bem definidas. Muito variada, apresenta uma mistura de espécies de plantas do Cerrado, dos Campos e de florestas. Está adaptada para passar um período embaixo d'água, na época das enchentes. O Pantanal está ameaçado pela expansão da agricultura e da pecuária.

Vista aérea da vegetação do Pantanal, no estado do Mato Grosso do Sul, 2003.

Mata de Araucárias

Originária do sul do Brasil, apresenta pequena variedade de espécies vegetais, com predomínio dos pinheiros. Foi muito devastada pela retirada de madeira, pela exploração da erva-mate e pela introdução de pastagens, áreas agrícolas e cidades. Restam apenas poucas áreas protegidas.

Pinheiro do Paraná ou araucária, nas proximidades de Curitiba, estado do Paraná, 2001.

Vegetação litorânea – Manguezais

Entre as várias formações da vegetação litorânea, destacam-se os manguezais, localizados no encontro de águas de rios e de mar. São áreas de grande importância ecológica, pois funcionam como "berçários" para várias espécies de peixes e outros animais. Nas últimas décadas têm sido destruídos para a construção de cidades e portos e pelo crescimento do turismo litorâneo.

Manguezal na praia do rio da Barra, no município de Porto Seguro, estado da Bahia, 2004.

Mata dos Cocais

Ocorre nos estados do Maranhão e Piauí. É formada principalmente por palmeiras dos tipos babaçu e carnaúba. Seus frutos e suas folhas são muito utilizados pela população e como matéria-prima para a fabricação de diversos produtos.

Os buritis também compõem a Mata dos Cocais, como estes às margens do rio Preguiças, no estado do Maranhão.

SUGESTÃO DE LEITURA

A vida na Caatinga, de Roberto Antonelli Filho, FTD.

Coração do Cerrado, de Eunice Pühler, Editora do Brasil.

55

REDE DE IDEIAS

ORGANIZAR

1. Observe o mapa político e o mapa dos climas do Brasil.

BRASIL – Divisão política

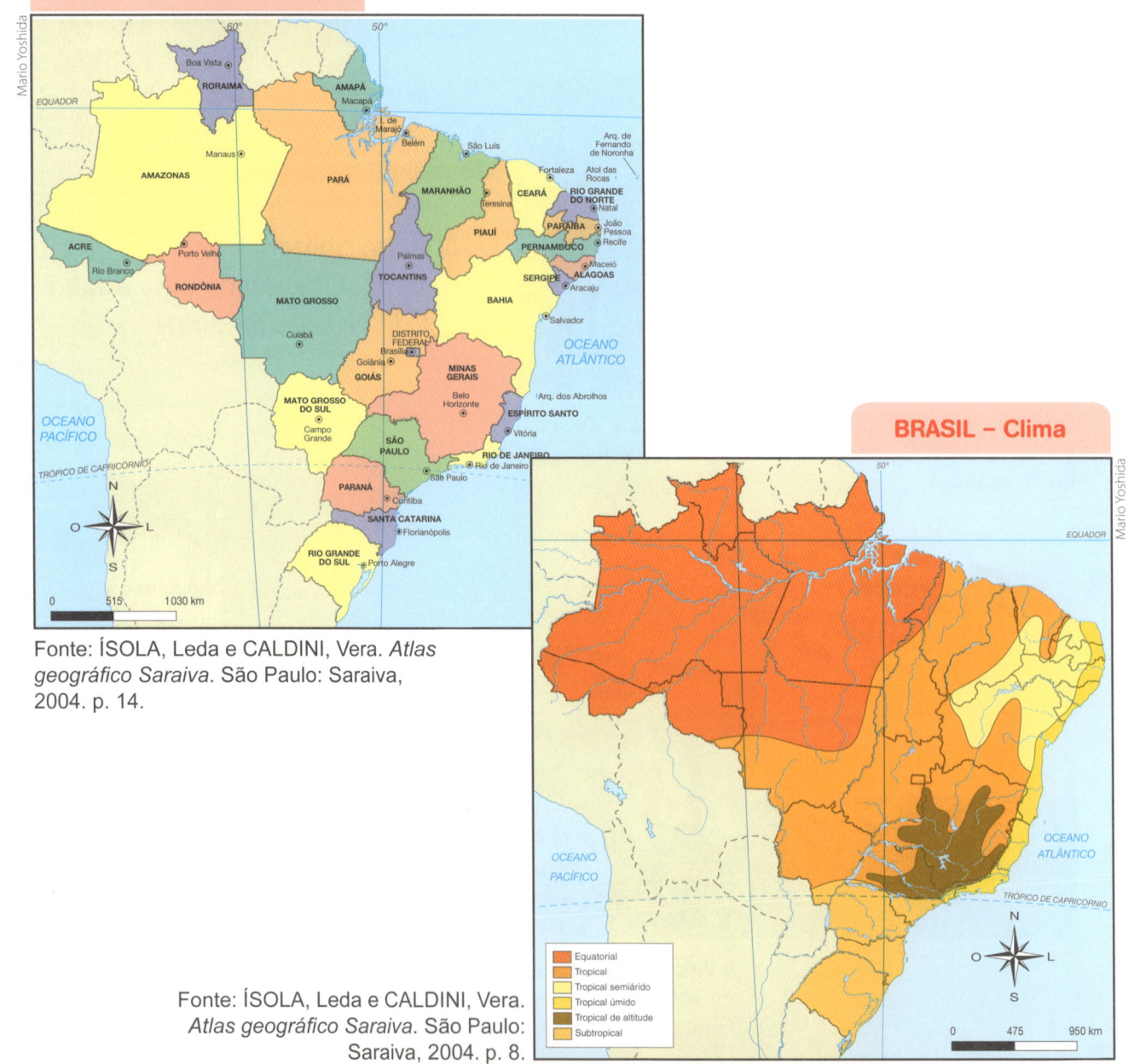

Fonte: ÍSOLA, Leda e CALDINI, Vera. *Atlas geográfico Saraiva*. São Paulo: Saraiva, 2004. p. 14.

BRASIL – Clima

Equatorial
Tropical
Tropical semiárido
Tropical úmido
Tropical de altitude
Subtropical

Fonte: ÍSOLA, Leda e CALDINI, Vera. *Atlas geográfico Saraiva*. São Paulo: Saraiva, 2004. p. 8.

a) Escolha dois tipos de clima e complete o quadro com os estados onde ocorrem. Veja o exemplo.

Clima	Estados onde ocorre
Subtropical	Rio Grande do Sul, Paraná, Santa Catarina e sul de São Paulo.

b) Que tipo de clima predomina no estado onde você mora? Quais as características desse clima?

_____

_____

_____

REFLETIR

2. Leia o texto e responda.

> Os índios coletam grande diversidade de plantas silvestres e de produtos animais. A coleta é feita para atender às necessidades de matéria-prima para suas manufaturas, alimentos e remédios. (…)
>
> Sueli Ângelo Furlan e João Carlos Nucci.
> *A conservação das florestas tropicais.* São Paulo: Atual, 1999. p. 95.

- Na sua opinião os indígenas retratados no texto utilizam a floresta de forma adequada? Explique a sua resposta.

AMPLIAR

3. Pesquise em livros, revistas e na internet projetos que têm como principal objetivo a utilização de recursos provenientes das florestas para preservar e conservar esse ambiente. Produza um painel com texto e imagens para apresentar os resultados da sua pesquisa.

UNIDADE 4

Brasil: relevo e rios

Trecho do rio Tietê em Salto, São Paulo.

Trecho do rio Negro em Barcelos, Amazonas.

IMAGEM E CONTEXTO

1. O que as fotografias estão retratando?

2. Qual rio corre sobre um relevo mais irregular?

3. A navegação é possível em qual rio?

CAPÍTULO 1

O relevo brasileiro

Observe as fotografias de algumas das paisagens que podem ser encontradas no território brasileiro.

Praia de Recife, capital do estado de Pernambuco, 2006.

Parque Nacional da Serra dos Órgãos, estado do Rio de Janeiro, 2004.

Chapada Diamantina, estado da Bahia, 2001.

Parque Nacional de Itatiaia, estado do Rio de Janeiro, 2007.

1. No município onde você mora há formas de terreno semelhantes às que aparecem nas fotografias?

___

Os lugares podem estar localizados em terrenos quase planos ou em terrenos acidentados e elevados, com montanhas, morros ou serras.

> O conjunto das diferentes formas de terreno existentes em nosso planeta constitui o **relevo** terrestre.

A superfície terrestre se caracteriza por formas e altitudes diferenciadas.

> A **altitude** de um ponto da superfície terrestre é a medida vertical que vai do nível zero (nível dos oceanos) até o ponto mais alto de uma determinada elevação.

Observe o esquema que representa como é medida a altitude.

Representação para fins didáticos.

2. Pesquise e escreva qual é o ponto mais alto da superfície do território brasileiro, onde se localiza e qual sua altitude.

___

61

As principais formas de relevo no Brasil

Observe no mapa as principais formas de relevo no Brasil: os planaltos, as depressões e as planícies.

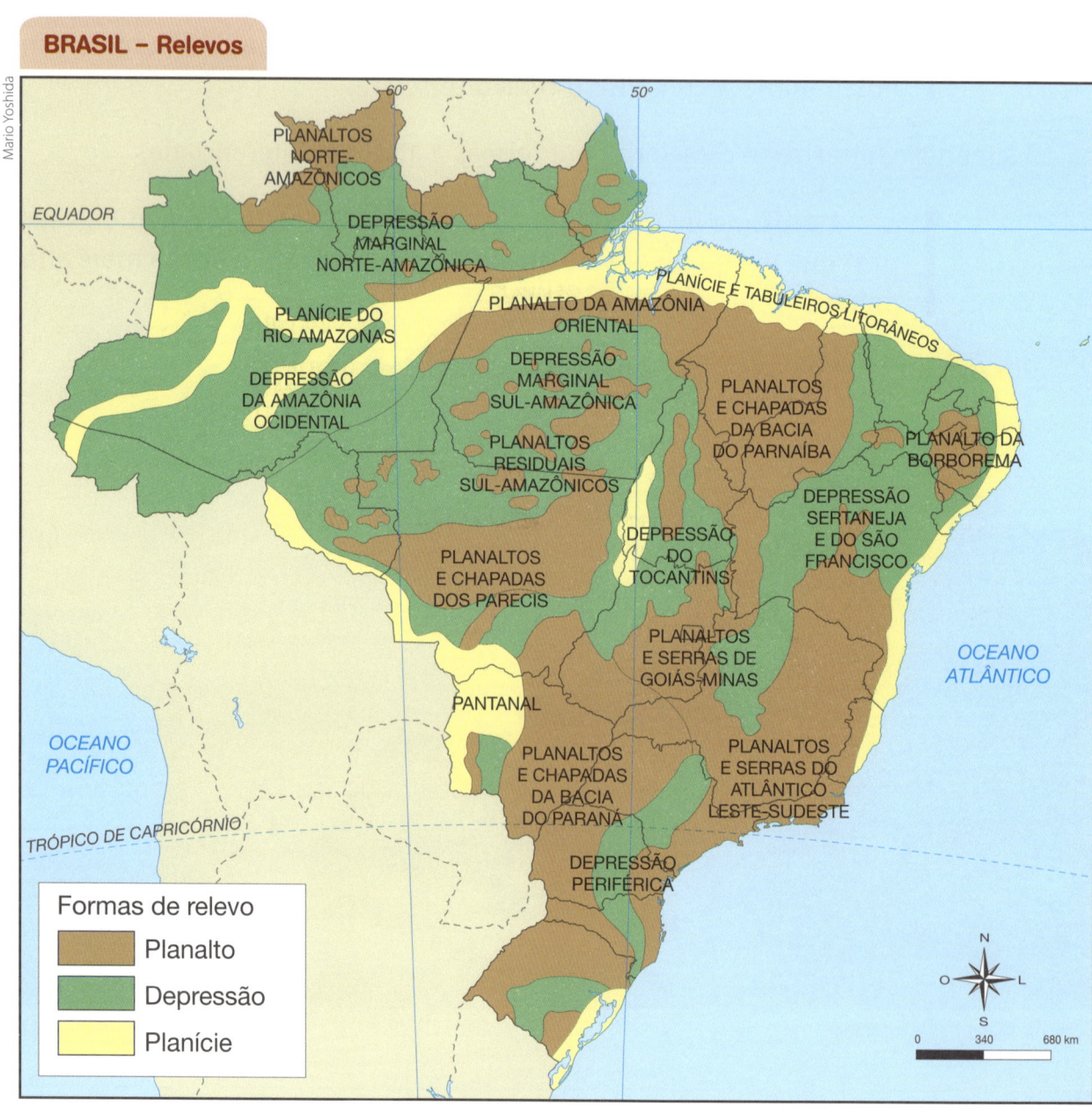

BRASIL – Relevos

Formas de relevo:
- Planalto
- Depressão
- Planície

Fonte: ÍSOLA, Leda e CALDINI, Vera. *Atlas geográfico Saraiva*. São Paulo: Saraiva, 2004. p. 11.

1. O que o mapa está representando?

2. Qual o significado de cada cor que aparece no mapa?

🟫 _____

🟩 _____

🟨 _____

3. Escreva os nomes dos principais planaltos do Brasil.

_____

_____

_____

_____

_____

4. Quais são os nomes das principais planícies brasileiras?

_____

_____

5. Que nome recebe a depressão localizada nos estados de São Paulo, Paraná e Santa Catarina?

_____

6. Quais estados têm parte de seus territórios na planície do Pantanal Mato-grossense?

_____

7. Escreva as formas de relevo predominantes no estado onde você mora.

_____

_____

As planícies

São superfícies relativamente ou quase planas, formadas pelo acúmulo de materiais transportados por rios, lagos, mares e ventos.

Planície

Representação para fins didáticos.

Os planaltos

São superfícies irregulares que se apresentam bastante desgastadas pela ação de agentes externos, como a chuva, os rios e os ventos.

Os planaltos podem ser formados por:

- **chapadas**, que são formas com quedas acentuadas, que lembram um degrau (escarpa), e topo plano.
- **morros**, que são elevações de forma arredondada.
- **serras**, que são conjuntos de montanhas ou morros com desníveis acentuados.

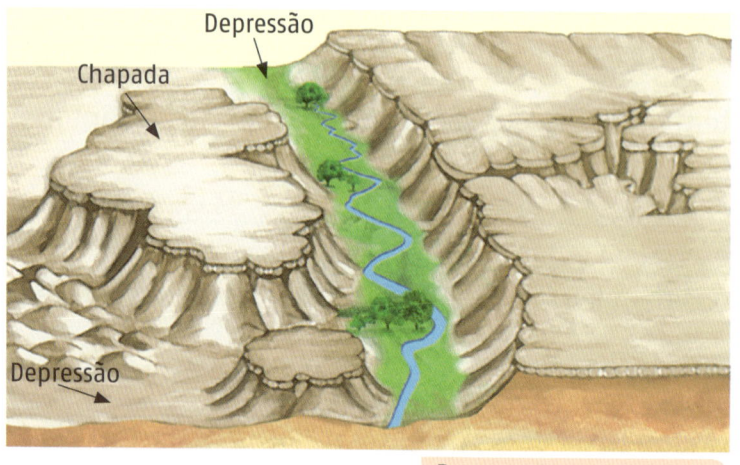

Chapada — Depressão — Depressão

Representação para fins didáticos.

Morro

Serra

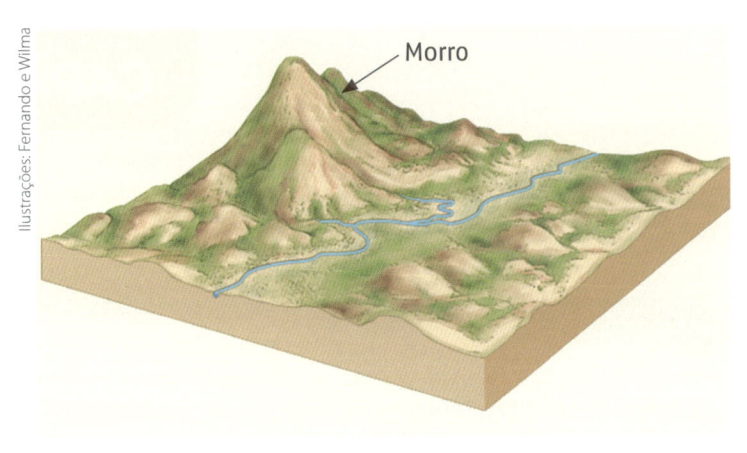

Representações para fins didáticos.

As depressões

São superfícies aplanadas por longos processos de erosão. Suas formas se apresentam relativamente planas ou levemente onduladas. As depressões localizam-se entre superfícies mais elevadas, como os planaltos.

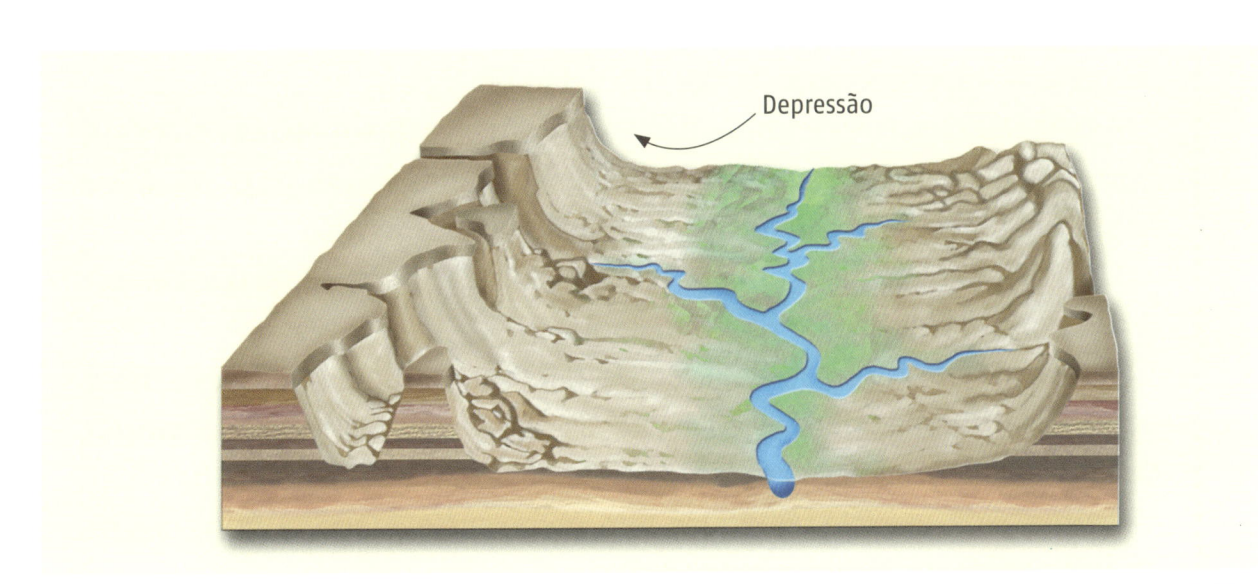

Depressão

Representação para fins didáticos.

65

CAPÍTULO 2

Os rios no Brasil

Os rios que cortam o território brasileiro são extremamente importantes para a população e a economia do país.

Várias cidades surgiram próximas a eles, pois suas águas são fundamentais para a agricultura, pecuária, navegação, geração de energia, o lazer e abastecimento a residências, escolas, hospitais, lojas, restaurantes, entre outros.

1. Qual é o nome do principal rio do município ou do estado onde você mora? Como ele é utilizado pela população? Converse com os colegas e o professor.

Conhecendo o rio

Leia o texto e observe atentamente a ilustração.

As partes de um rio

O lugar onde o rio nasce é chamado de **nascente**. As nascentes geralmente estão localizadas nas partes mais altas do relevo e podem ser água do subsolo que vem à superfície, um lago ou o resultado do derretimento de neve. A água escoa até formar um curso de água.

A partir da nascente o rio percorre um caminho (**leito**) até um outro rio, lago ou mar, onde deságua, ou seja, despeja suas águas (**foz**). As terras que ficam de cada um dos lados do rio são as **margens**.

Os rios que deságuam em outros rios são chamados **afluentes**. Os que recebem as águas são os **rios principais**.

O leito de um rio pode estar sobre diferentes formas de relevo. Se o percurso acontece sobre um planalto, as águas têm maior velocidade. Os desníveis do terreno formam quedas-d'água ou **cachoeiras**. Se o percurso for sobre uma planície, as águas têm menor velocidade. A ausência de grandes desníveis facilita a navegação.

Representação para fins didáticos.

2. Escreva na ilustração os nomes das partes de um rio citados abaixo.

- nascente
- leito
- margens
- foz

3. Que outros elementos naturais podem ser percebidos na ilustração?

_____

4. Que usos os seres humanos que vivem perto do rio da ilustração podem fazer dele?

_____

67

Localizando os rios do Brasil

O Brasil possui uma das maiores redes hidrográficas do planeta Terra. Ela é formada por muitos rios extensos e com grande volume de água. Veja o mapa.

Rede hidrográfica: todos os cursos de água de uma região.

BRASIL – Rios

Fonte: ÍSOLA, Leda e CALDINI, Vera. *Atlas geográfico Saraiva*. São Paulo: Saraiva, 2004. p. 13.

1. Escreva o nome de um rio que passa pelo seu estado.

_____

_____

2. Complete a tabela. Veja o modelo.

Rio	Estado(s) por onde passa
Rio Negro	Amazonas

Alguns rios brasileiros

Alguns rios brasileiros, localizados principalmente nas áreas de clima quente, são fontes de vida e riqueza para a população. O rio São Francisco, por exemplo, em alguns trechos do seu curso atravessa regiões áridas do Brasil.

O território brasileiro é constituído principalmente por planaltos. Nessas formas de relevo corre grande parte dos nossos rios, proporcionando belas paisagens, como as Cataratas do rio Iguaçu, no estado do Paraná. Esses rios também são amplamente utilizados para a instalação de usinas hidrelétricas.

Grandes trechos de rios muito importantes para a economia do país ou do estado onde se localizam estão poluídos. Um exemplo é o rio Tietê, na cidade de São Paulo.

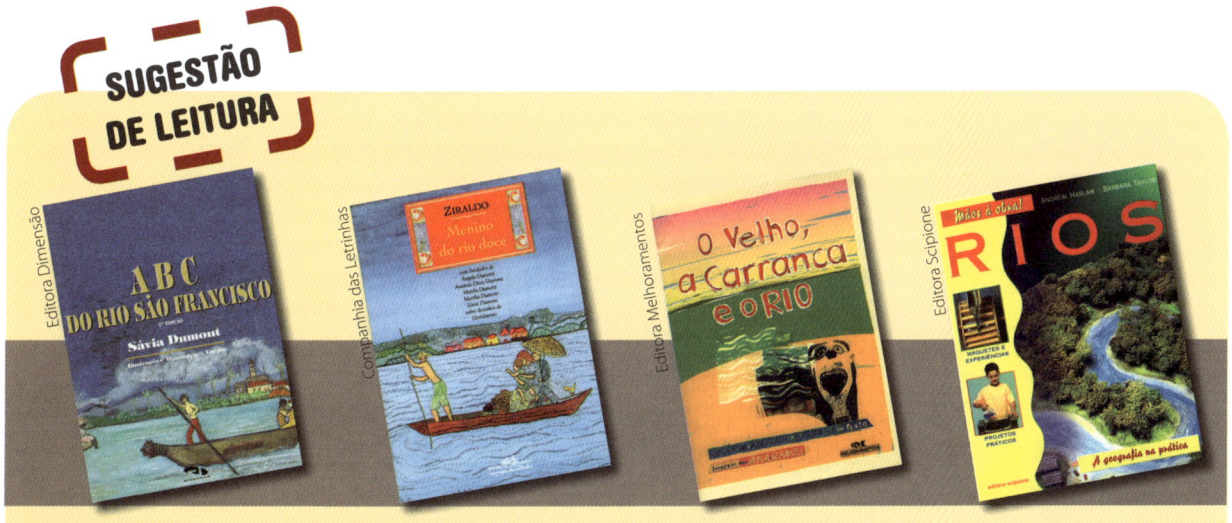

SUGESTÃO DE LEITURA

ABC do rio São Francisco, de Sávia Dumont, Dimensão.

Menino do rio doce, de Ziraldo, Companhia das Letrinhas.

O velho, a carranca e o rio, de Rogério A. Barbosa, Melhoramentos.

Rios, de Andrew Haslam e Barbara Taylor, Scipione.

Rede de Ideias

ORGANIZAR

1. Observe o mapa e faça as atividades.

BRASIL – Formas de relevo (classificação de Jurandyr Ross)

Fonte: Jurandyr L. S. Ross. Relevo brasileiro: uma nova proposta de classificação. In: *Revista Geousp*. n. 4. São Paulo: USP, 1991.

Formas de relevo
- Planalto
- Depressão
- Planície

a) Pinte a legenda do mapa com as cores que representam cada forma de relevo.

b) Pinte estas definições de acordo com as cores usadas no mapa.

> São superfícies relativamente ou quase planas, formadas pelo acúmulo de materiais transportados por rios, lagos, mares e ventos.

> São superfícies irregulares que se apresentam bastante desgastadas pela ação de agentes externos, como a chuva, os rios e os ventos.

> São superfícies aplanadas por longos processos de erosão. Suas formas se apresentam planas ou levemente onduladas. Localizam-se entre superfícies mais elevadas, como os planaltos.

REFLETIR

2. Observe as fotografias e responda.

1 Usina hidrelétrica de Peixe Angical, na cidade de Peixe (TO), 2006.

2 Travessia a barco pelo rio São Francisco entre os municípios de Juazeiro (BA) e Petrolina (PE), 2007.

a) Com base nas fotografias dos rios e nas informações das legendas, descreva como esses rios estão sendo utilizados.

_____

_____

b) Descreva a relação que existe entre o relevo e a hidrografia.

_____

_____

c) Na sua opinião, qual a importância da preservação dos rios?

AMPLIAR

3. Pesquisem sobre um dos rios que banham seu estado. Procurem saber: onde se localizam a **nascente** e a **foz**; que municípios são banhados por ele; como é utilizado. Com as informações, vocês podem montar um painel com figuras (fotografias, mapas e desenhos) e textos.

71

Convivência

Nosso litoral é lindo!

Com 7 367 km de extensão, o litoral brasileiro é constituído por uma grande variedade de paisagens: ilhas, manguezais, restingas, dunas, praias, falésias, recifes e corais. Essa variedade de paisagens ocorre principalmente por causa dos diferentes tipos de clima, vegetação, relevo e rios que existem no nosso território.

Observe algumas paisagens do litoral brasileiro.

Cabo de Santo Agostinho, estado de Pernambuco, 2000.

Vista parcial da Ilha de Marajó, estado do Pará, 2000.

Praia de Jericoacoara, estado do Ceará, 2002.

Foz do rio São Francisco, estado de Alagoas, 2001.

Ilhas em Angra dos Reis, estado do Rio de Janeiro, 2000.

Falésia de Torres, estado do Rio Grande do Sul, 2002.

1. Formem grupos de 3 ou 4 pessoas.
O professor realizará um sorteio para distribuir os temas pelos grupos de trabalho.
Sugestões de temas: "Reservas extrativistas marinhas (Resex)", "Manguezais", "Ilhas oceânicas brasileiras", "Recifes e corais", "Portos brasileiros", "Projetos de proteção à fauna e à flora", "Turismo no litoral", "Pesca".

2. Pesquisem em livros, revistas, jornais e na internet informações sobre o tema selecionado e montem um painel com textos e imagens para expor na sala.

Paisagens do litoral

3. Vocês poderão pesquisar:

- o que são
- em que áreas do litoral ocorrem
- problemas provocados pela ação dos seres humanos
- importância para a economia do país
- imagens (recortes) de jornais e revistas e da internet

73

UNIDADE 5

O Brasil e suas regiões

Artesanato de Corumbá, Mato Grosso do Sul.

Comidas típicas de Minas Gerais.

Grupo de dança gaúcha no interior de São Paulo.

Círio de Nazaré em Belém, Pará.

Maracatu no interior de Pernambuco.

IMAGEM E CONTEXTO

1. Complete o quadro com os exemplos da expressão cultural de acordo com os estados onde eles ocorrem. Observe o modelo.

Estado	Exemplos da expressão cultural
Pará	Círio de Nazaré
Pernambuco	
Minas Gerais	
São Paulo	
Mato Grosso	

2. Em uma folha avulsa, recorte e cole imagens de jornais e revistas que mostrem exemplos da expressão cultural brasileira. Mostre ao professor e aos colegas de sala.

CAPÍTULO 1

As divisões regionais do Brasil

As macrorregiões brasileiras

A divisão do Brasil em cinco **macrorregiões** (grandes regiões) foi feita pelo IBGE (Instituto Brasileiro de Geografia e Estatística), que é o órgão do governo brasileiro responsável por coletar, organizar e apresentar diversas informações sobre o nosso país.

Observe o mapa.

BRASIL – Macrorregiões

Legenda:
- Norte
- Nordeste
- Centro-Oeste
- Sudeste
- Sul

Fonte: ÍSOLA, Leda e CALDINI, Vera. *Atlas geográfico Saraiva*. São Paulo: Saraiva, 2004. p. 33.

Essa divisão foi criada com base em um conjunto de critérios, como:

- a localização das Unidades da Federação
- as semelhanças de elementos naturais dos estados, como o clima e a vegetação
- as semelhanças de aspectos sociais e econômicos dos estados

Na divisão do Brasil em regiões, o IBGE manteve os limites entre os estados.

Mesmo que as regiões sejam caracterizadas por aspectos comuns, cada uma apresenta diversidades. Ou seja, em uma mesma região podemos encontrar atividades econômicas diversas, povos e culturas diferentes uns dos outros, além das distinções em relação aos elementos naturais. Isso ocorre por causa da grande extensão dessas regiões e principalmente pelo fato de o espaço geográfico ter sofrido várias transformações ao longo do tempo.

Na região Nordeste, por exemplo, há áreas com clima seco, como o sertão, e áreas com clima úmido, como a faixa litorânea.

1. Contorne no mapa da página 76 a macrorregião da qual seu estado faz parte.

2. Observe o mapa das macrorregiões do Brasil e organize no quadro os nomes das Unidades da Federação, siglas e capitais da macrorregião onde você vive.

Unidade da Federação	Sigla	Capital

77

As regiões geoeconômicas

> Existe outra divisão regional do território brasileiro que abrange três **complexos regionais** ou **regiões geoeconômicas**: a Amazônia, o Nordeste e o Centro-Sul.

Nessa divisão foram consideradas as características da história da ocupação do território e da economia.

Diferentemente da divisão em cinco macrorregiões, os limites que separam as regiões geoeconômicas não seguem os mesmos limites dos estados. Observe o mapa.

Fonte: ÍSOLA, Leda e CALDINI, Vera. *Atlas geográfico Saraiva*. São Paulo: Saraiva, 2004. p. 33.

Há estados que fazem parte de duas regiões geoeconômicas ao mesmo tempo. Um exemplo é Minas Gerais, que tem sua maior parte no Centro-Sul, mas também tem uma pequena área no extremo norte abrangida pelo Nordeste. A explicação para isso é que o norte de Minas tem mais semelhanças com o Nordeste do que com o Centro-Sul.

Observe as fotografias.

Casas de pau-a-pique em área rural da região conhecida como Vale do Rio Jequitinhonha, no norte do estado de Minas Gerais, 2005. Em relação aos aspectos naturais e econômicos, essa parte do estado contrasta com o sul.

Área rural do município de Monte Sião, estado de Minas Gerais, 2006. Esse município faz parte do sul de Minas Gerais e é um importante produtor de café.

3. Complete o quadro com os nomes dos estados que fazem parte da(s) região(ões) geoeconômica(s) onde você vive.

Região(ões) geoeconômica(s)	Estados

79

CAPÍTULO 2

Aspectos das grandes regiões do IBGE

Região Norte

É a maior região do Brasil e ocupa quase a metade do território do nosso país. É formada por sete estados que juntos ocupam uma área de 3 853 327 km² e possui cerca de 13 milhões de habitantes.

As atividades econômicas, os costumes alimentares e as moradias na região Norte são influenciados pela presença da Floresta Amazônica e da grande quantidade de rios.

Muitas pessoas da região Norte sobrevivem do extrativismo, coletando látex e castanha-do--pará, por exemplo.

BRASIL – Divisão política da Região Norte

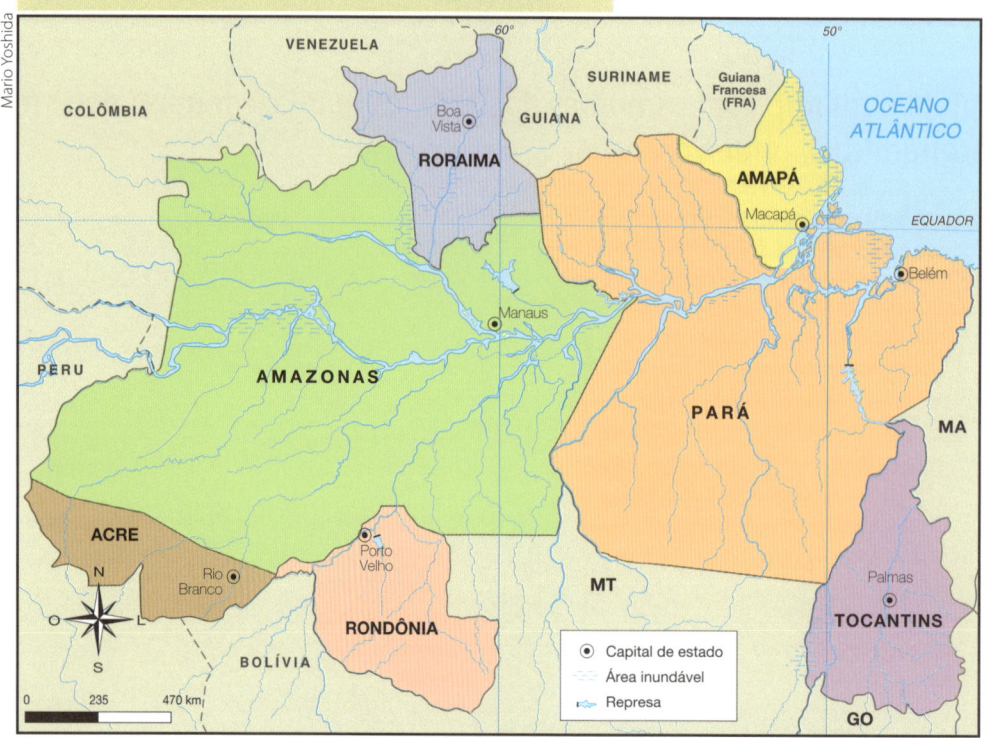

Fonte: ÍSOLA, Leda e CALDINI, Vera. *Atlas geográfico Saraiva*. São Paulo: Saraiva, 2004. p. 34.

A grande quantidade e variedade de árvores da Floresta Amazônica atraiu muitas madeireiras para a região. Grande parte delas explora a madeira de forma ilegal, contribuindo para destruir cada vez mais a floresta. Na fotografia, madeireira no município de Paragominas, estado do Pará, 2004.

Na região Norte, construções nos rios (as **flutuantes**) ou em suas proximidades (as **palafitas**) são adaptações ao regime das cheias. Na fotografia, palafita localizada no rio Xingu, estado do Pará, 2002.

Os rios são importantes vias de circulação na região Norte. Pessoas e mercadorias dependem de embarcações para irem de um lugar a outro. Muitas comunidades só podem ser alcançadas de barco. Na fotografia, embarcação no Rio Negro, em trecho do município de Manaus, estado do Amazonas, 2007.

A região Norte tem como característica marcante a presença da Floresta Amazônica. Grande parte da sua população, no entanto, vive nas cidades, principalmente nas capitais. Cerca de metade da população do Amazonas, por exemplo, está concentrada em Manaus.

Nesse município, foi criada a Zona Franca de Manaus, que é um importante polo industrial e comercial, onde os produtos são mais baratos por haver menos ou menores impostos. Ela atrai pessoas de outros municípios e até de outros estados.

1. Façam uma pesquisa sobre pratos típicos da região Norte. Procurem em revistas, livros e na internet os ingredientes e o modo de preparo. Com o material pesquisado montem um painel de culinária da região.

81

Região Nordeste

A região Nordeste é a terceira maior e a segunda mais populosa do Brasil. Os nove estados que a formam ocupam uma área de 1 554 257 km² e têm uma população total de aproximadamente 48 milhões de habitantes.

O Nordeste começou a ser ocupado e explorado economicamente desde a chegada dos primeiros colonizadores europeus.

Nos séculos XVI e XVII, com a intensa produção de cana-de-açúcar, tinha grande importância econômica.

Já no século XVIII, com a descoberta de ouro em Minas Gerais, Goiás e Mato Grosso, a região começou a entrar em decadência econômica. O desenvolvimento das indústrias na região Sudeste fez a crise da economia do Nordeste se agravar ainda mais.

Foi por causa dessa longa crise na economia que muitos nordestinos migraram em busca de melhores condições de vida em outras regiões.

No entanto, principalmente a partir da década de 1990, muitas empresas do Sul e do Sudeste instalaram-se no Nordeste. Essas empresas foram atraídas por vantagens oferecidas pelos governos de alguns estados e municípios nordestinos, como a isenção de impostos. Atualmente existem vários polos industriais no Nordeste, principalmente na Bahia, em Pernambuco e no Ceará.

Esta filial de uma produtora de bebidas, no município de Estância, estado de Sergipe, instalou-se no Nordeste na década de 1990, assim como ocorreu com outras fábricas. Fotografia de 2005.

Isenção de imposto: desobrigação de pagar os impostos recolhidos pelo governo.

BRASIL – Divisão política da Região Nordeste

Fonte: ÍSOLA, Leda e CALDINI, Vera. *Atlas geográfico Saraiva*. São Paulo: Saraiva, 2004. p. 36.

O território da região Nordeste apresenta subregiões com características naturais e socioeconômicas bem distintas. Observe o mapa.

> O **Agreste** apresenta clima mais úmido nas áreas próximas à Zona da Mata e clima mais seco nas áreas próximas ao Sertão. No campo, destacam-se a agricultura e a pecuária de subsistência. As cidades mais importantes dessa subregião são Caruaru (PE) e Campina Grande (PB).

> O **Meio-Norte** é a subregião nordestina situada entre a Amazônia e o Sertão. Além das atividades desenvolvidas nas cidades, ali se pratica o extrativismo vegetal, principalmente do coco do babaçu.

BRASIL – Microrregiões do Nordeste

Fonte: ÍSOLA, Leda e CALDINI, Vera. *Atlas geográfico Saraiva*. São Paulo: Saraiva, 2004. p. 36.

> No **Sertão**, onde predomina o clima quente e seco, a população é menor que na faixa litorânea e muito dependente da agricultura e da pecuária de **subsistência**. Nesse tipo de atividade, as plantações e a criação de animais são feitas para o sustento próprio. Destacam-se a produção de mandioca, milho e feijão e a criação de bovinos e caprinos. Quando ocorrem secas prolongadas, os pequenos agricultores são bastante prejudicados. Por outro lado, atualmente, há grandes fazendas agrícolas, importantes produtoras de frutas, como as que fazem parte do polo Petrolina (PE)–Juazeiro (BA), que têm modernos sistemas de irrigação para garantir a produção.

> Na **Zona da Mata**, onde o clima é quente e úmido, as belas praias atraem milhares de turistas. Ali se localizam as principais cidades e atividades industriais e a maior parte da população.

Região Centro-Oeste

O Centro-Oeste é a segunda região do Brasil em extensão, com uma área de 1 606 371 km². Apesar dessa enorme área, é também a que apresenta a menor população, com aproximadamente 12 milhões de habitantes.

Nessa região estão localizados três estados e o Distrito Federal, onde está a capital do país, Brasília.

BRASIL – Divisão política da Região Centro-Oeste

Fonte: ÍSOLA, Leda e CALDINI, Vera. *Atlas geográfico Saraiva*. São Paulo: Saraiva, 2004. p. 38.

Até o final da década de 1950, a região Centro-Oeste ainda estava praticamente isolada do restante do território brasileiro. Sua comunicação com as outras regiões era muito precária. A principal atividade econômica ali desenvolvida era o extrativismo mineral, principalmente de ouro e diamante.

A situação começou a mudar a partir dos anos 1960, quando a região passou a ser foco do interesse do governo federal, preocupado com a ocupação do interior do Brasil.

Uma das medidas que favoreceram o povoamento e o desenvolvimento econômico da região Centro-Oeste foi a construção de Brasília, que passaria a ser a nova capital do Brasil, no lugar do Rio de Janeiro.

A construção de Brasília possibilitou a abertura de rodovias, ampliou a comunicação da região com o restante do país e atraiu grande número de pessoas em busca de melhores condições de vida.

A construção de Brasília foi iniciada em 1956 e sua inauguração ocorreu no dia 21 de abril de 1960. Para trabalhar nas obras, muitas pessoas vieram de várias regiões do Brasil, principalmente do Nordeste. No centro da fotografia, de 1958, vemos o Palácio da Alvorada, construído para ser a residência oficial do presidente da República.

A oferta de terras a baixos preços favoreceu o aparecimento de novas áreas agrícolas e de pecuária bovina no Centro-Oeste, que foram ocupadas e desenvolvidas por agricultores e pecuaristas vindos principalmente do Rio Grande do Sul, do Paraná e de São Paulo, sobretudo com cultivo de soja e pecuária bovina.

Grande parte do Centro-Oeste é coberta pela vegetação conhecida como **Cerrado**, cujo solo, considerado pobre e improdutivo, não favorecia a agricultura. Estudos da Embrapa (Empresa Brasileira de Pesquisas Agropecuárias) permitiram desenvolver uma semente de soja adaptada aos solos do Cerrado. Hoje o Brasil está entre os maiores produtores mundiais de soja, com grande parte da sua produção realizada no Centro-Oeste.

No Centro-Oeste, áreas de Cerrado foram ocupadas, por exemplo, pelas grandes propriedades produtoras de soja, como esta no município de Itiquira, estado do Mato Grosso. Fotografia de 2002.

O rebanho de bovinos do Centro-Oeste é o maior do Brasil. Em geral, o gado é criado solto, em grandes propriedades, e a produção se destina principalmente ao fornecimento de carne. A pecuária bovina é uma das características marcantes da região Centro-Oeste.

2. As paisagens do Cerrado e do Pantanal atraem muitos turistas para o Centro-Oeste. Coletem informações sobre o ecoturismo nessa região e produzam um cartaz de propaganda. Vocês poderão colocar mapas, fotografias, roteiros, características naturais dos locais visitados e atividades para o turista.

Região Sudeste

Com cerca de 72 milhões de habitantes, o Sudeste é a região brasileira que abriga o maior número de pessoas. Estende-se por uma área de 924 511 km² e é formado por quatro estados: Minas Gerais, Espírito Santo, Rio de Janeiro e São Paulo.

BRASIL – Divisão política da Região Sudeste

Fonte: ÍSOLA, Leda e CALDINI, Vera. *Atlas geográfico Saraiva*. São Paulo: Saraiva, 2004. p. 40.

O Sudeste é a região que concentra o poder político e econômico do país, com uma produção agropecuária e industrial moderna e diversificada. Nessa região estão localizadas as sedes de importantes empresas industriais, comerciais e de serviços, incluindo grandes bancos, supermercados, lojas de departamento, seguradoras, financeiras, entre outras.

Na região Sudeste, destaca-se a ocorrência de diversos tipos de indústria, como siderúrgicas, metalúrgicas, automobilísticas e petroquímicas.

Área industrial de Campinas, estado de São Paulo, em 2007. Nesse município há instituições que desenvolvem pesquisas em diversos segmentos, como informática, telecomunicações, produção de alimentos, agricultura, entre outras.

3. No Sudeste estão localizadas as metrópoles de grande importância econômica do nosso país. Você sabe que metrópoles são essas? Escreva os nomes delas.

A concentração da atividade industrial no Sudeste favoreceu o desenvolvimento da rede de transportes. A região conta com uma ampla rede de rodovias, ferrovias, portos e aeroportos, que permitem o deslocamento de pessoas, matérias-primas e mercadorias.

A concentração econômica no Sudeste é resultado de um longo processo histórico. No século XIX, os estados de São Paulo, Minas Gerais e Rio de Janeiro, especialmente, eram grandes produtores de café, principal produto da economia brasileira naquela época. A produção, o transporte e a venda do café, sobretudo para outros países, fez crescer a infraestrutura urbana, como os meios de transporte. Assim, muitas indústrias passaram a se instalar em cidades do Sudeste, como São Paulo e Rio de Janeiro. Nessa época, muitos operários eram pessoas vindas de outros países, principalmente imigrantes europeus. Na fotografia, Porto de Santos, estado de São Paulo, 2006.

Marcio Lourenço/Pulsar Imagens

Apesar de concentrar a maior parte da riqueza do país, o Sudeste, principalmente nas grandes cidades, não está livre da pobreza e da desigualdade social que se observam nas outras regiões do país.

4. Cite situações em que as desigualdades sociais podem ser verificadas no nosso país. Na sua opinião, por que ocorrem essas situações?

---

5. Pesquise e produza no caderno um texto sobre a concentração industrial no Sudeste. Procure saber, principalmente, que outras condições ajudaram nessa concentração, as principais cidades que concentraram as indústrias e o que era produzido pelas primeiras indústrias.

Região Sul

A região Sul, com uma área territorial de 577 214 km², é a menor do Brasil. É formada por três estados: Paraná, Santa Catarina e Rio Grande do Sul que, juntos, somam uma população de aproximadamente 25 milhões de pessoas.

A região Sul é a que registra as menores temperaturas médias anuais. No inverno, as temperaturas caem muito e não são raras as geadas.

Além do clima, essa região possui outra característica marcante, que é a grande influência dos imigrantes europeus, principalmente alemães e italianos, na formação cultural e nos traços físicos da população.

BRASIL – Divisão política da Região Sul

Fonte: ÍSOLA, Leda e CALDINI, Vera. *Atlas geográfico Saraiva*. São Paulo: Saraiva, 2004. p. 42.

6. Faça uma pesquisa das cidades fundadas pelos alemães e das fundadas pelos italianos. Escolha uma dessas cidades e descubra que influências desses povos permanecem atualmente. Anote as principais informações de sua pesquisa em uma folha avulsa e entregue-a ao professor.

Uma das vegetações nativas mais devastadas do Brasil encontra-se na região Sul: a Mata de Araucárias. A extração descontrolada de madeira para fabricação de móveis e exportação, e o desmatamento para a implantação de áreas de cultivo e de criação de animais contribuíram para a quase extinção dessa formação vegetal.

A Mata de Araucárias, vegetação original de grande parte da região Sul, foi muito devastada desde o processo de colonização do nosso país. Atualmente, as poucas áreas preservadas encontram-se principalmente em parques, como o Parque Nacional de Aparados da Serra, estado do Rio Grande do Sul. Fotografia de 2005.

No inverno, a geada é muito comum em municípios da região Sul, como em São Joaquim, no estado de Santa Catarina, retratado em agosto de 2007. A geada é a formação de uma fina camada de gelo em superfícies, como no solo ou na vegetação.

As atividades econômicas desenvolvidas na região Sul são muito diversificadas, com destaque para a agricultura, a pecuária e a indústria de alimentos e de vinho. Na agricultura, os principais itens produzidos são o arroz, o trigo, o milho, a soja e o feijão.

A região Sul é a segunda mais industrializada do Brasil e é a que apresenta maior número de municípios com os melhores índices de educação e saúde do país.

7. Complete a cruzadinha.

1. A construção de Brasília contribuiu para expandir a ocupação dessa região.
2. A grande concentração de atividades econômicas de vários setores é uma característica dessa região.
3. Amazônia, Nordeste e Centro-Sul são as chamadas regiões...
4. Todos os estados da região Norte fazem parte dessa região geoeconômica.
5. A região conta com importante polo industrial.
6. Principalmente a partir da década de 1990 essa região atraiu indústrias e produtores agrícolas do Sul e Sudeste no estado da Bahia.
7. Dos municípios com melhores índices de educação e saúde, grande parte se encontra nessa região.

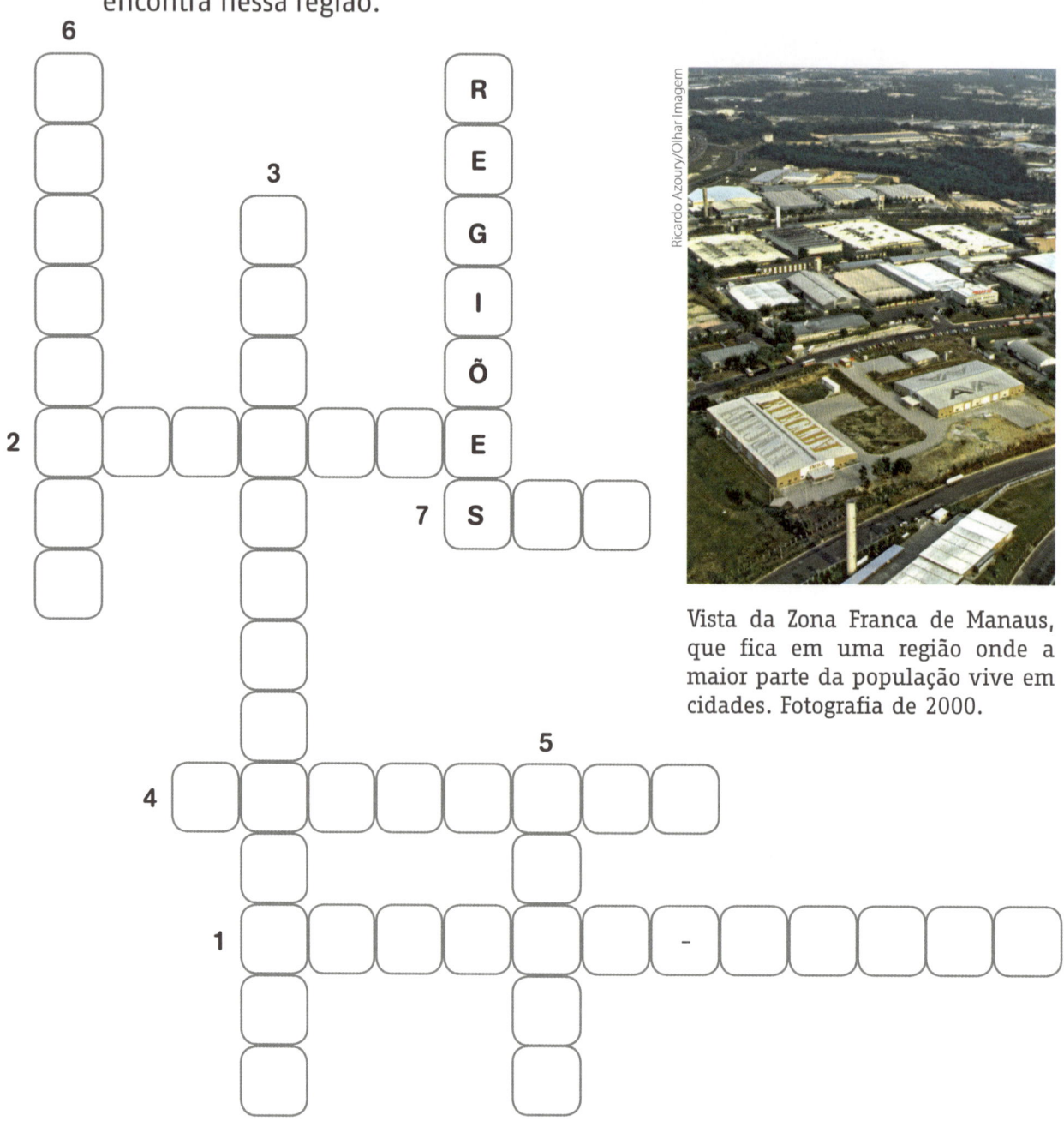

Vista da Zona Franca de Manaus, que fica em uma região onde a maior parte da população vive em cidades. Fotografia de 2000.

8. Pesquise duas imagens da região onde você mora e cole nos espaços adequados. Não se esqueça de fazer legendas.

SUGESTÃO DE LEITURA

Jack Brodóski no coração da Amazônia, de Flavio de Souza, Companhia das Letras.

Sudeste: o centro econômico, de Paulo Roberto Moraes e Carlos Fioravanti, Harbra.

Imagens do Sertão, de Cristina Porto, FTD.

Um sonho na Amazônia, de Paula Saldanha, Ediouro.

Gente que faz!

Lendo o mapa

BRASIL – Atividades econômicas

Legenda:
- Agropecuária comercial
- Agropecuária de autoconsumo
- Comércio muito diversificado, serviços especializados, alta tecnologia industrial
- Comércio, serviços e indústria – em expansão
- Indústria especializada – eletrônicos
- Atividade predominantemente extrativa

Fonte: ÍSOLA, Leda e CALDINI, Vera. *Atlas geográfico Saraiva*. São Paulo: Saraiva, 2004. p. 25.

1. Escreva no mapa as siglas correspondentes aos estados.

2. Pinte as partes em branco do mapa, de acordo com as informações e as cores indicadas na legenda.

92

3. Qual o título do mapa? De onde ele foi extraído?

_____

_____

4. Em que estados brasileiros predominam comércio muito diversificado, serviços especializados e alta tecnologia industrial?

_____

_____

5. Em que macrorregião esses estados estão localizados?

_____

6. Sobre a atividade extrativa, responda.

  a) Em que estados é predominante?

  _____

  _____

  _____

  b) A qual macrorregião eles pertencem? E a qual complexo regional?

  _____

  _____

  _____

7. De acordo com o mapa, descreva as atividades predominantes na sua região.

_____

_____

_____

REDE DE IDEIAS

ORGANIZAR

1. Observe os mapas e faça o que é pedido.

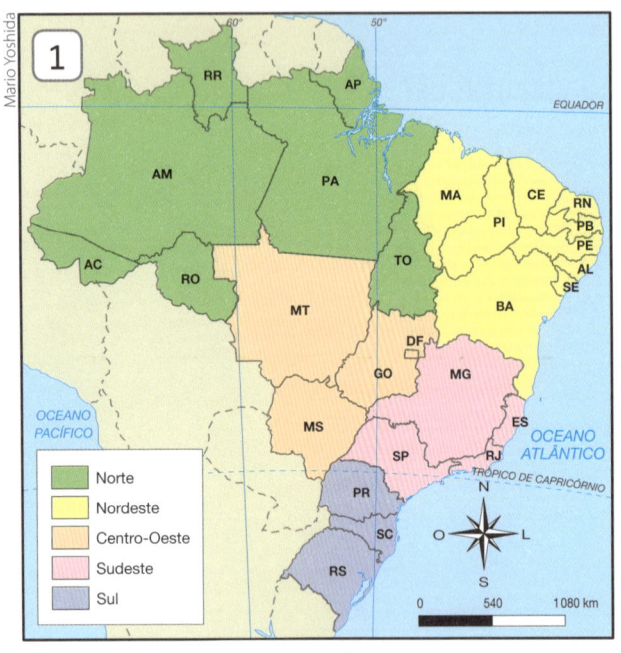

Título do mapa 1: _____

_____

_____

Fonte: ÍSOLA, Leda e CALDINI, Vera. *Atlas geográfico Saraiva*. São Paulo: Saraiva, 2004. p. 33.

Título do mapa 2: _____

_____

_____

Fonte: ÍSOLA, Leda e CALDINI, Vera. *Atlas geográfico Saraiva*. São Paulo: Saraiva, 2004. p. 33.

a) Tendo em vista o que você estudou nesta unidade, dê um título para cada um dos mapas. Escreva nos espaços ao lado de cada mapa.

b) Que critérios foram considerados para a divisão das regiões no **mapa 1**? E no **mapa 2**?

___

___

___

___

REFLETIR

2. A tirinha retrata características bem diferentes do Nordeste.

XAXADO / Antonio Cedraz

NA CIDADE...

NA ROÇA...

a) Que características são essas?

___

___

b) Qual a localização provável, dentro do Nordeste, de cada local retratado?

___

___

AMPLIAR

3. Organize uma nova regionalização para o Brasil. Produza, em uma folha avulsa, um mapa com a sua proposta e um texto explicando quais critérios você utilizou.

UNIDADE 6
Distribuição da população e diversidade cultural

IMAGEM E CONTEXTO

1. Que nome você daria ao mapa?

2. O mapa mostra características da população brasileira? Quais?

_____

_____

3. Na sua opinião, por que a população brasileira apresenta pessoas com características físicas tão diferentes?

4. Para você, o que é ser brasileiro?

_____

_____

CAPÍTULO 1

Quantos somos
e onde vivemos

Observe o planisfério.

MUNDO – Os dez países mais populosos

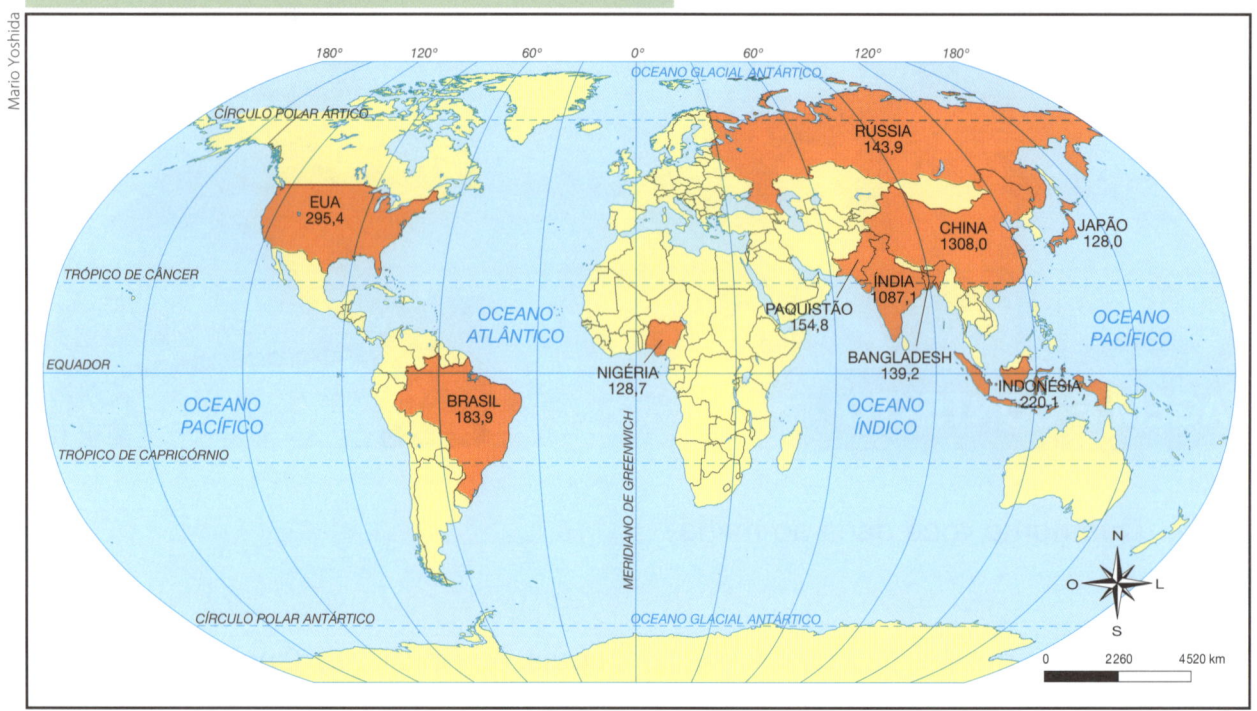

Fonte: Relatório do Desenvolvimento Humano, 2006. Disponível em: <www.pnud.org.br>. Acesso em: setembro de 2007 e IBGE. *Atlas geográfico escolar*. 4. ed. Rio de Janeiro: IBGE, 2007. p. 34.

1. O que o mapa representa? De onde foram obtidas as informações do mapa?

_____

_____

2. Em que continente está localizada a maioria dos países mais populosos do mundo?

_____

3. Complete o quadro classificando os países mais populosos do mundo de 1 a 10, começando do mais populoso.

	País	População (em milhões)
1		
2		
3		
4		
5		
6		
7		
8		
9		
10		

> Como você pode observar no mapa, a população mundial encontra-se distribuída de maneira irregular entre os países do mundo. Ou seja, existem países com grande número de habitantes e países com um número menor de habitantes.

A Ásia é o maior e mais populoso dos continentes, reunindo mais de 60% da população do planeta. As duas nações com o maior número de habitantes estão no continente asiático: a China e a Índia.

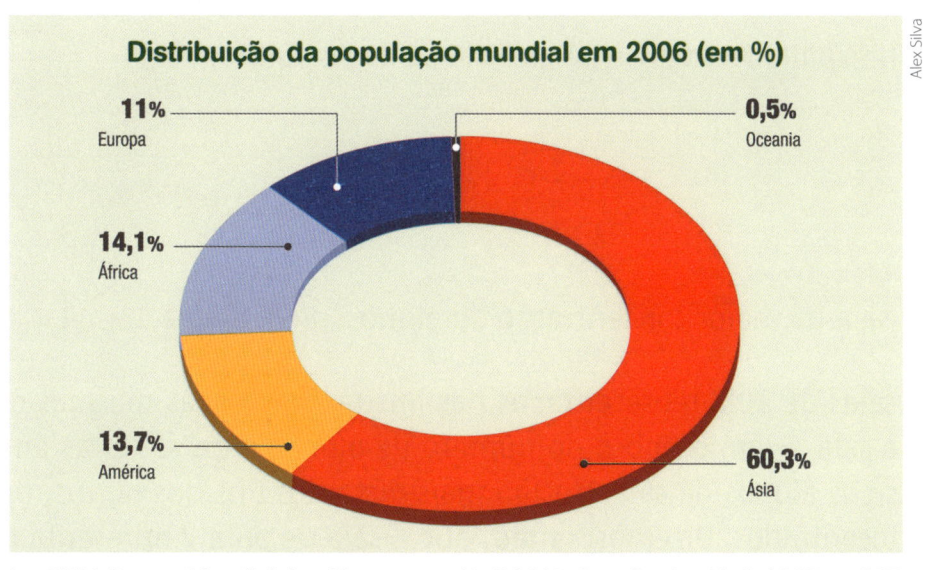

Distribuição da população mundial em 2006 (em %)

- 11% Europa
- 0,5% Oceania
- 14,1% África
- 13,7% América
- 60,3% Ásia

Fonte: ONU, Banco Mundial. In: *Almanaque Abril 2007.* São Paulo: Abril, 2007. p. 357.

Distribuição da população no território

Observe as ilustrações que representam duas salas de aula com a mesma área.

Representações para fins didáticos.

1. Qual a principal semelhança entre as duas salas de aula?

_____

2. Qual a principal diferença entre as duas salas de aula?

_____

_____

3. Em qual sala há maior concentração de alunos? ☐ sala 1   ☐ sala 2

As duas salas de aula representadas nas ilustrações têm as mesmas dimensões. No entanto, a sala 2 tem o dobro do número de alunos e de carteiras em relação à sala 1. Por isso os alunos da sala 1 estão mais distantes uns dos outros, ou seja, estão menos concentrados. Dizemos, então, que a sala de aula 2 apresenta uma maior concentração de alunos em relação à sala de aula 1.

Observe agora as ilustrações que representam dois bairros da cidade de Alta Mata.

Representações para fins didáticos.

4. Em qual desses bairros existe uma maior concentração de construções e de pessoas? Explique a sua resposta.

_____

_____

_____

Nas ilustrações observamos que no bairro 2 existe uma maior concentração de moradias e habitantes. Isso significa que a população está mais concentrada.

> O resultado da divisão do número de habitantes de um local pela área territorial que ocupam é chamado de **densidade demográfica**. A densidade demográfica é, portanto, o número médio de pessoas que ocupam um espaço determinado.

Quanto maior a densidade demográfica, mais **povoado** é o espaço. E, quanto menor a densidade demográfica, menos povoado é o espaço.

Densidade demográfica no Brasil

A densidade demográfica em nosso país é de aproximadamente 22 habitantes por km². Em alguns estados há uma maior concentração de pessoas enquanto outros são pouco povoados.

Observe no gráfico a densidade demográfica de alguns estados brasileiros em 2007.

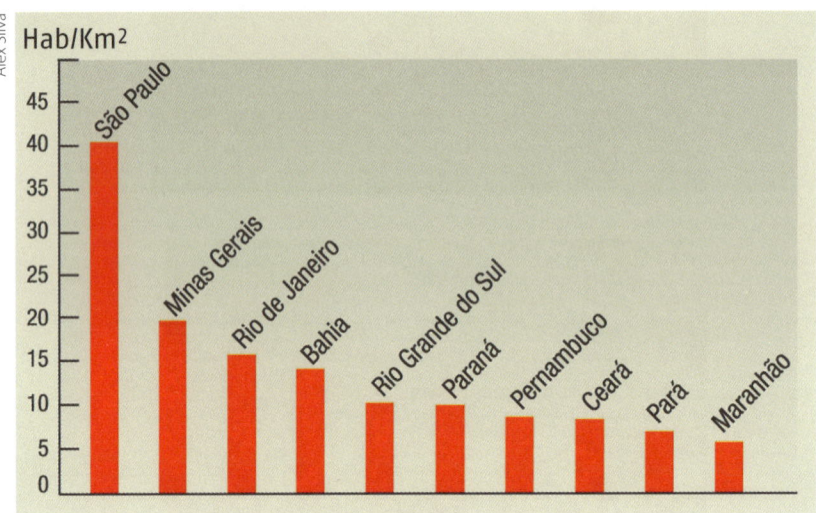

Fonte: Dados. In: *Almanaque Abril 2007*. São Paulo: Abril, 2007. p. 641.

5. Escreva:

a) o nome do estado que apresentou a maior densidade demográfica brasileira em 2007, segundo o gráfico.

_____

b) o nome do estado que apresentou a menor densidade demográfica em 2007, segundo o gráfico.

_____

Distribuição da população brasileira

> O Brasil apresenta uma população numerosa, sendo considerado um país **populoso**.

Ao contrário do Brasil, vários países do mundo são bem menos populosos, como é o caso do Uruguai, nosso vizinho na América do Sul, que apresenta uma população de apenas 3700000 habitantes.

Para começar a compreender por que nosso país é **pouco povoado**, mesmo sendo **muito populoso**, e como a população se distribui pelo território, observe o mapa da página seguinte.

BRASIL – Distribuição da população

Fonte: IBGE. *Atlas geográfico escolar*. 4. ed. Rio de Janeiro: IBGE, 2007. p. 113.

6. Em que áreas a população brasileira está mais concentrada?

_____

_____

7. Em que partes do território brasileiro a população é menos concentrada?

_____

8. Como a população do estado onde você mora está distribuída?

_____

O mapa mostra que a população brasileira está distribuída de maneira desigual pelo território. Sobre isso, dois aspectos são importantes:

- Mais de 80% da população brasileira vive em cidades.
- A maior parte da população brasileira se concentra no litoral, nas áreas próximas a ele e também nas capitais dos estados.

103

A distribuição da população ao longo da nossa história

A concentração da população brasileira no leste do território não aconteceu por acaso.

Quando os europeus aqui chegaram, fixaram-se no litoral e em áreas próximas a ele. Assim, os núcleos de povoamento, muitos dos quais se transformaram em cidades, foram instalados primeiramente no litoral e nas áreas próximas a ele.

Ao longo da nossa história, a distribuição da população foi influenciada pelas atividades econômicas.

Durante o século XVI, as principais atividades econômicas eram a exploração do pau-brasil e a produção de cana-de-açúcar, além da pecuária.

A partir do século XVII, principalmente, com a busca pelas "drogas do sertão" (produtos como cacau, canela, castanha, cravo, pimenta) e a expansão da pecuária, o povoamento foi se expandindo para o interior do país. Essa expansão em direção ao interior aumentou ainda mais com as atividades mineradoras.

O artista Johann Moritz Rugendas representou a atividade mineradora na obra *Lavagem do ouro próximo à montanha de Itacolomi*. A mineração contribuiu para a expansão ao interior do país.

Este mapa se chama *Terra Brasilis* e foi produzido em 1519. Note que os indígenas representados estão extraindo pau-brasil.

Em 1500, na chegada de Cabral, Pero Vaz Caminha descreveu: "mataria que é tanta, e tão grande, tão densa e de tão variada folhagem, que ninguém pode imaginar." Diante da exuberância encontrada pelos portugueses, estes descobriram a existência de uma riqueza para eles inesgotável: o pau-brasil.

Os índios brasileiros já utilizavam esta árvore para a confecção de arcos, flechas, e para pintura de enfeites, com um corante vermelho intenso extraído do cerne. A técnica foi ensinada aos portugueses pelos próprios índios, que também foram encarregados de cortar, aparar e arrastar as árvores até o litoral, onde carregavam os navios a serem enviados para a Europa.

Ana Lúcia Ramos Auricchio. "Pau Brasil". Disponível em: <http://www.institutopaubrasil.org.br/show.cfm?t=7>. Acesso em: agosto de 2008.

Gente que faz!

População e economia

Observe nesta página e na seguinte dois mapas que representam aspectos da economia do Brasil.

BRASIL – Distribuição da indústria

Número de empresas
- 100 a 1 000
- 1 001 a 7 600
- 7 601 a 10 000
- 10 001 a 52 531

Fonte: *Atlas geográfico escolar*. 4. ed. Rio de Janeiro: IBGE, 2007. p. 136.

1. Escreva os nomes dos estados brasileiros onde a concentração industrial ultrapassa mil empresas.

_____

_____

_____

2. A maior parte desses estados está localizada nas proximidades do litoral ou no interior do Brasil?

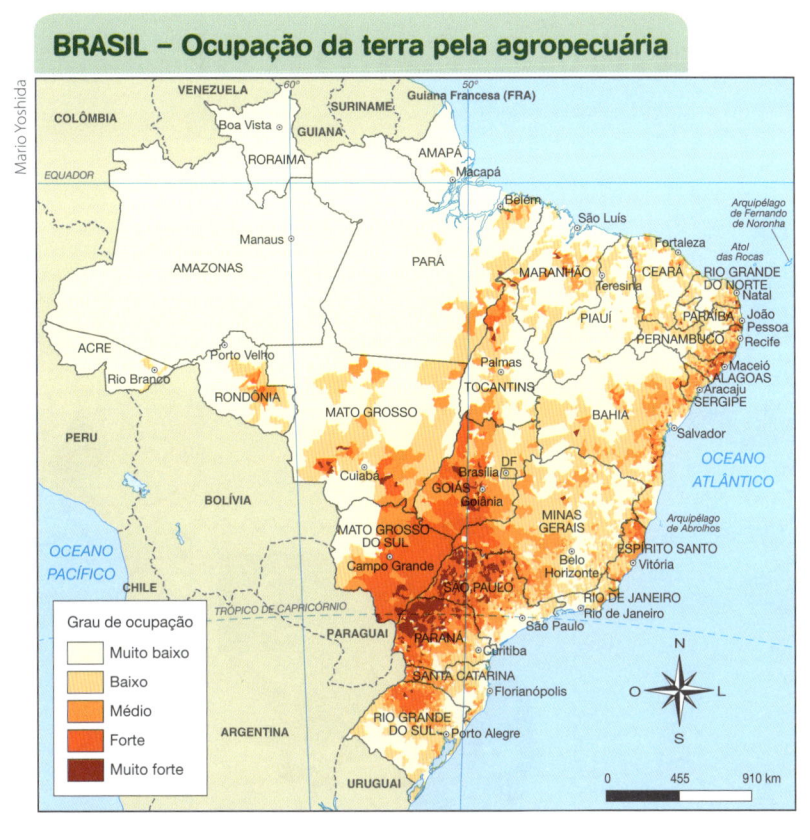

BRASIL – Ocupação da terra pela agropecuária

Grau de ocupação:
- Muito baixo
- Baixo
- Médio
- Forte
- Muito forte

Fonte: *Atlas geográfico escolar*. 4. ed. Rio de Janeiro: IBGE, 2007. p. 126.

3. A ocupação da terra pela agropecuária é forte e muito mais forte nos estados localizados nas proximidades do litoral, no centro ou no interior do Brasil?

4. Compare os mapas da distribuição da indústria (página 106) e o da distribuição da população brasileira (página 103) e responda: a concentração populacional tem relação com a concentração das atividades econômicas? Explique.

CAPÍTULO 2

População brasileira e diversidade cultural

O conjunto de características que dão identidade a um povo, como a língua, as religiões praticadas, os hábitos e os costumes transmitidos de uma geração a outra, é chamado de **cultura**.

As imagens mostram um pouco da diversidade de pessoas e culturas que encontramos no Brasil. Essa diversidade está associada à origem do povo brasileiro, que aconteceu a partir da miscigenação de diferentes povos, como indígenas, portugueses, africanos e milhares de imigrantes que vieram para o Brasil, entre eles italianos, espanhóis, alemães, japoneses e árabes.

Povo: conjunto de pessoas que possuem a mesma origem e cultura.

Miscigenação: mistura entre vários grupos étnicos.

Os povos indígenas

Quando os portugueses aqui chegaram, em 1500, havia aproximadamente 5 milhões de indígenas distribuídos em mais de mil povos diferentes. O contato com o colonizador português foi devastador. Doenças, guerras e escravidão colaboraram para a diminuição dos povos indígenas.

Os povos indígenas influenciaram vários aspectos da nossa cultura, como alimentação, uso de plantas como remédios e no vocabulário.

Atualmente, estima-se uma população indígena no Brasil de aproximadamente 600 mil indivíduos, sendo que a maior parte vive em Terras Indígenas.

Terras Indígenas são aquelas ocupadas pelos grupos indígenas, utilizadas para suas atividades produtivas e para a preservação dos recursos ambientais necessários ao seu bem-estar, e aquelas necessárias à sua reprodução física e cultural, segundo seus usos, costumes e tradições. Assim, no Brasil, os indígenas têm direito a ocupar e usar essas terras.

No entanto...

Grande parte das Terras Indígenas no Brasil sofre invasões de mineradores, pescadores, caçadores, madeireiras e posseiros. Outras são cortadas por estradas, ferrovias, linhas de transmissão ou têm porções inundadas por usinas hidrelétricas. Frequentemente, os índios colhem resultados perversos do que acontece mesmo fora de suas terras, nas regiões que as cercam: poluição de rios por agrotóxicos, desmatamentos (...).

Instituto Socioambiental. Disponível em: <www.socioambiental.org/pib/portugues/quonqua/ondeestao/tis.shtm>. Acesso em: dezembro de 2007.

Aldeia dos indígenas Kamayurá, localizada no Parque Indígena Xingu, no estado do Mato Grosso, em 2002. Criado em 1961, no Xingu estão 14 povos indígenas.

Os povos africanos

Aproximadamente 4 milhões de africanos foram trazidos como escravos para o Brasil para trabalhar em diferentes atividades. A escravidão em nosso país durou até 1888, quando foi abolida por lei.

A influência dos povos africanos na população brasileira está na formação étnica e principalmente nas manifestações culturais. Verificamos a influência desses povos na religião, em muitas palavras utilizadas no nosso dia-a-dia, na alimentação, na música e no jeito de ser do brasileiro.

O vatapá e o acarajé, pratos típicos do estado da Bahia, têm origens africanas. Na fotografia, vatapá de peixe.

Hoje, no nosso país, há várias comunidades formadas pelos descendentes dos escravos que viviam nos quilombos, concentradas principalmente na Bahia e no Maranhão. Há registros de mais de mil comunidades remanescentes dos quilombos, também denominadas Comunidades Negras Rurais, Terras de Preto ou Mocambos. Os quilombolas têm o direito às suas terras garantido por lei, mas apesar disso enfrentam constantes conflitos com grandes fazendeiros, madeireiras e mineradoras, que tentam expulsá-los dessas terras.

Entre as comunidades atuais que se originaram dos quilombos está a comunidade Kalunga, no estado de Goiás. Fotografia de 2004.

Os europeus e outros povos

Além dos povos indígenas, que aqui já viviam, e dos povos africanos trazidos como escravos, povos europeus e asiáticos migraram para o Brasil em grande número, principalmente após a independência do país.

Portugueses, italianos, espanhóis, alemães, japoneses, sírios e turcos formaram os grupos mais numerosos. Após a década de 1960, aproximadamente, as migrações para o Brasil diminuíram bastante.

Vários aspectos revelam a influência dos europeus na formação da população brasileira, desde a língua oficial do país, o português, até a religião católica e muitos outros aspectos culturais.

A partir da década de 1820, alemães e italianos se fixaram no sul do país, onde fundaram cidades e desenvolveram a agricultura e a pecuária. Na fotografia, grupo se apresenta em festa de influência alemã, no município de Blumenau, estado de Santa Catarina, em 2007.

Muitos imigrantes japoneses vieram para o Brasil a partir de 1908. Passaram por muitas dificuldades de adaptação, devido à grande diferença entre os dois povos, principalmente nos costumes e na língua. Na fotografia, apresentação de grupo de dança na cidade de São Paulo, em 2008.

SUGESTÃO DE LEITURA

Histórias da Preta, de Heloísa Pires Lima, Companhia das Letrinhas.

Txopai e Itôhã, de Kanátyo Pataxó, Formato.

A história dos escravos, de Isabel Lustosa, Companhia das Letrinhas.

111

Rede de Ideias

ORGANIZAR

1. Escreva o texto tornando todas as informações corretas.

> Apenas 20% da população brasileira vive em cidades. Ela se concentra na parte oeste do território.

---

2. Analise a tabela e depois responda às perguntas.

Estado	População absoluta	Densidade demográfica (habitantes/km²)
Espírito Santo	3 097 232	67
Paraná	9 563 458	48
Sergipe	1 784 475	81

Fonte: *Censo Demográfico 2000*. Rio de Janeiro: IBGE, 2001.

a) Qual dos estados era o mais populoso em 2000? Como você sabe?

---

b) Qual dos estados era o mais povoado? Como você sabe?

REFLETIR

3. Leia o texto e faça o que se pede.

> Muitas pessoas acreditam que o Brasil é uma "democracia racial", onde as pessoas são tratadas da mesma forma, independentemente da cor de sua pele. Infelizmente, no nosso país há um "racismo velado". Negros, indígenas e outros povos ainda sofrem preconceito.

Segundo o texto, explique o que quer dizer:

a) democracia racial.

_____

_____

b) racismo velado.

_____

_____

_____

4. Você concorda com a afirmação de que no nosso país há "racismo velado"? Explique a sua resposta.

_____

_____

AMPLIAR

5. Converse com os adultos que moram com você para saber qual a sua origem e a de seus antepassados. Depois, construa uma árvore genealógica em uma folha avulsa com as informações obtidas. Não se esqueça de incluir nessa árvore:

- nome
- data de nascimento (e, se for o caso, de morte)
- local de nascimento (município, estado, país, continente)
- etnia ou povo ao qual pertence

UNIDADE 7

Movimentos da população brasileira

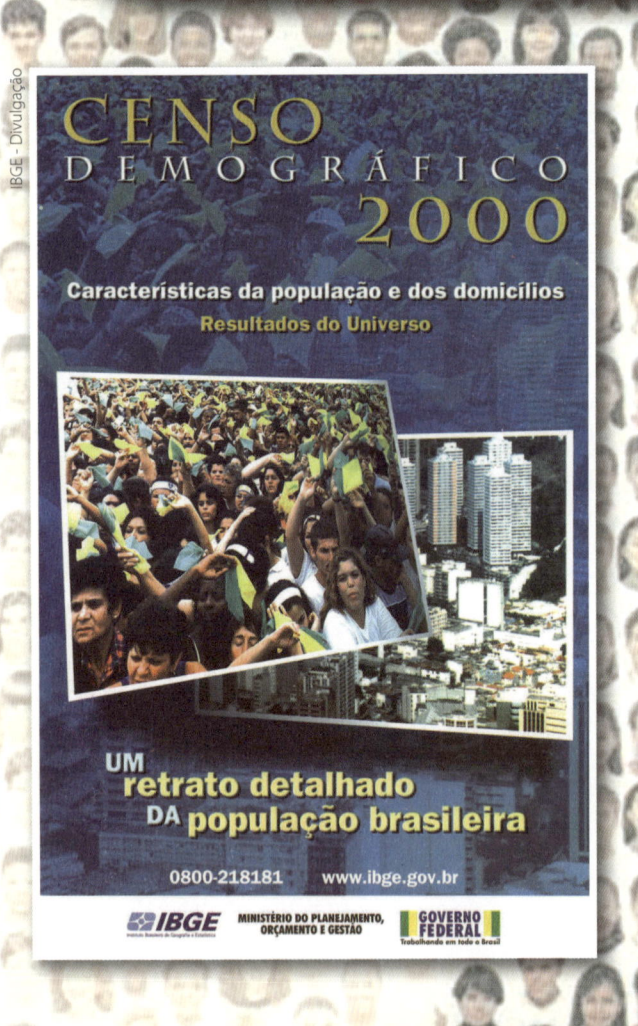

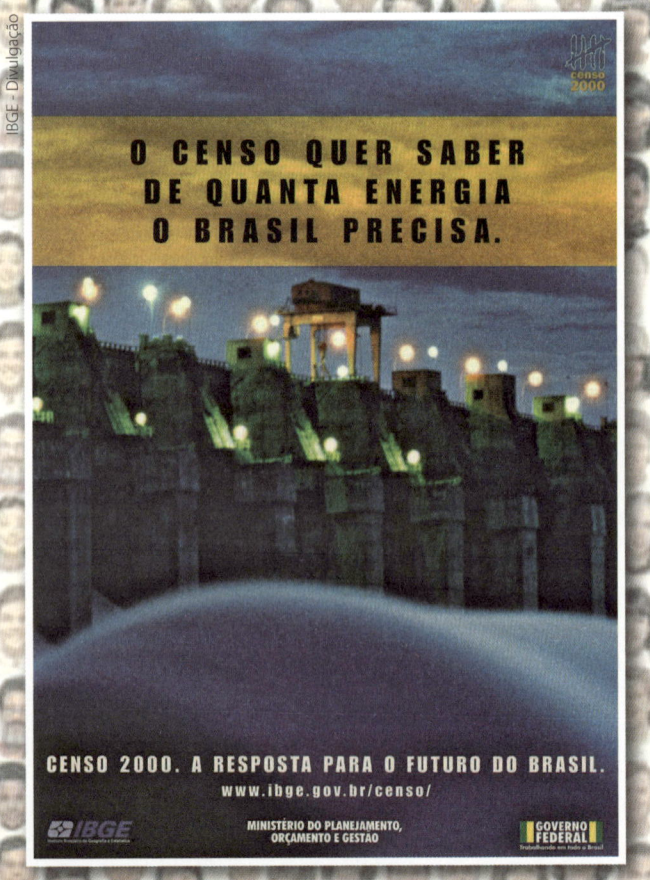

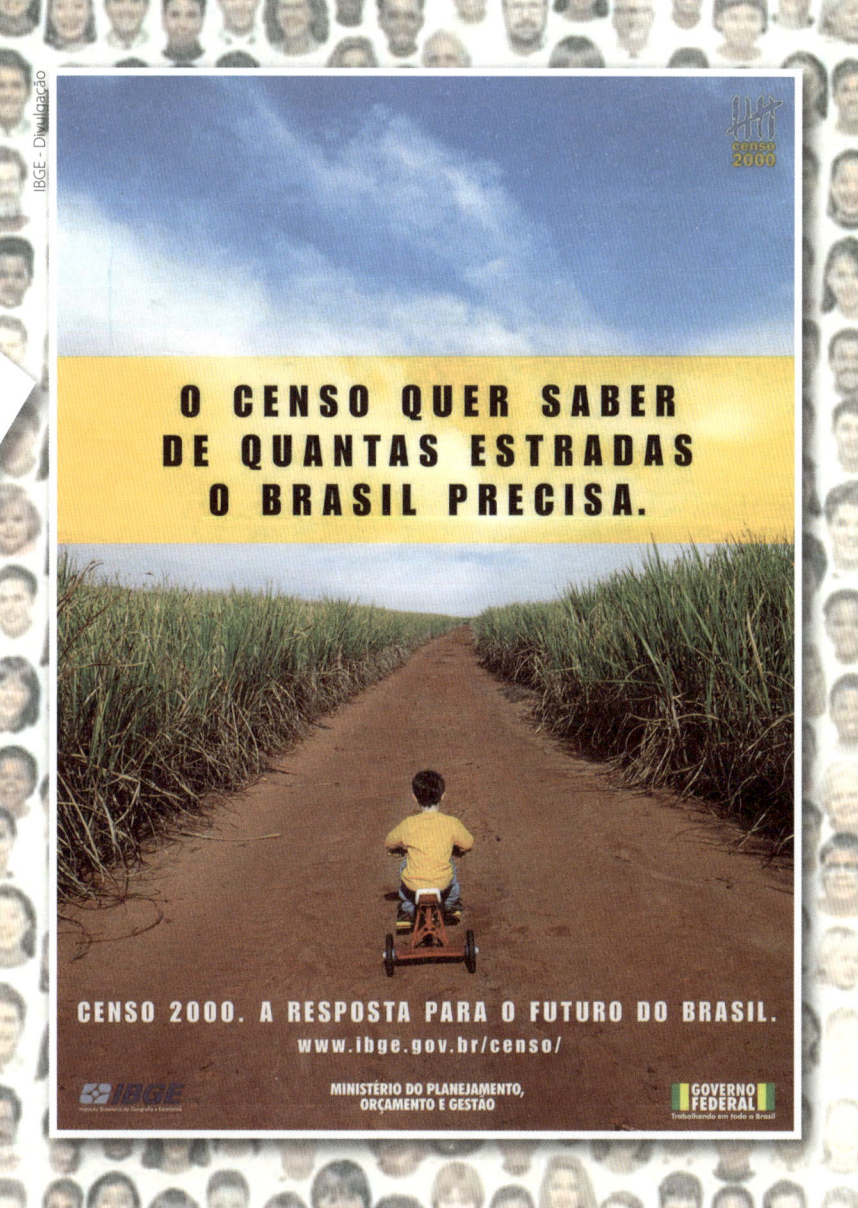

O CENSO QUER SABER DE QUANTAS ESTRADAS O BRASIL PRECISA.

CENSO 2000. A RESPOSTA PARA O FUTURO DO BRASIL.
www.ibge.gov.br/censo/

MINISTÉRIO DO PLANEJAMENTO, ORÇAMENTO E GESTÃO

GOVERNO FEDERAL

IMAGEM E CONTEXTO

Responda às questões oralmente.

1. Você sabe o que é censo?

2. Que cartaz mais chamou sua atenção? Por quê?

3. Na sua opinião, é importante ter informações sobre as pessoas que vivem em nosso país? Por quê?

CAPÍTULO 1

A evolução do crescimento da população brasileira

Observe a tabela com informações sobre a população brasileira, obtidas nos últimos censos demográficos e previsões feitas pelo Instituto Brasileiro de Geografia e Estatística (IBGE).

Censo demográfico: pesquisa realizada pelo IBGE a cada dez anos. Por meio do censo reúnem-se informações sobre toda a população brasileira.

População brasileira de 1950 a 2007	
Ano	Número de habitantes
1950	51 941 767
1960	70 070 457
1970	93 139 037
1980	119 002 706
1991	146 825 475
1996	157 070 163
2000	169 799 170
2006	183 987 291

Disponível em: <www.ibge.gov.br>. Acesso em: novembro de 2007.

1. O que a tabela está mostrando? De onde foram obtidas as informações?

2. Em qual década a população brasileira atingiu números maiores que o dobro em relação a 1950?

3. Na sua opinião, por que a população brasileira cresceu tanto em tão pouco tempo?

No Brasil, ao longo dos anos, dois fatores contribuíram para o crescimento populacional: a vinda de imigrantes para o país e o crescimento natural.

Até a primeira metade do século XIX, a população brasileira cresceu lentamente. Somente com a **chegada dos imigrantes** europeus no final do mesmo século é que a população começou a crescer de maneira mais acelerada. De 1880 a 1930, mais de 4 milhões de imigrantes entraram no Brasil.

> O principal fator que contribuiu para o aumento da população brasileira foi o **crescimento natural**. O crescimento natural ocorre quando a quantidade de pessoas que nascem é maior que a quantidade de pessoas que morrem, ou seja, a taxa de natalidade é maior que a de mortalidade.

A partir da década de 1930, aproximadamente, as melhorias nos serviços de saneamento básico, com a ampliação das redes de água encanada e esgoto, a ampliação no atendimento médico-hospitalar e os novos medicamentos e vacinas provocaram uma redução no número de mortes e um aumento do crescimento natural, pois a natalidade continuou em alta.

Nas últimas décadas o crescimento da população apresentou uma queda. Observe as fotografias.

Família retratada no Brasil por volta de 1950.

Nos dias de hoje, é muito comum encontrarmos casais com apenas um filho.

4. O que você observa nas famílias das duas fotografias?

117

Crescimento em queda

> Apesar de ter crescido de maneira bem rápida durante o século XX, a população brasileira vem apresentando um ritmo de crescimento cada vez menor nas últimas décadas. Isso se deve à diminuição da imigração e, principalmente, à diminuição da taxa de natalidade. Ou seja, as famílias estão bem menores.

Vários motivos levaram as famílias a reduzir o número de filhos. As pessoas passaram a ter mais informações e acesso a métodos que evitam a gravidez. Tornou-se popular, por exemplo, o uso de pílulas anticoncepcionais e preservativos.

A maioria da população brasileira mora nas cidades, onde o custo de vida é mais alto. Um grande número de filhos passou a significar mais despesas.

Custo de vida: gastos com alimentação, moradia, educação, transporte, saúde e lazer, entre outros itens.

No Brasil, a cada 100 pessoas, mais de 80 vivem em cidades. Na fotografia, centro da cidade de São Paulo, SP, 2006.

A participação cada vez maior da mulher no mercado de trabalho contribuiu para a redução da natalidade. Além do seu emprego remunerado, muitas mulheres precisam cuidar da família e dos afazeres domésticos, o que é conhecido como "dupla jornada".

O número de mulheres que "trabalham fora" aumentou muito nas últimas décadas. Na fotografia, elas participam da produção de calçados no município de Ivoti, no estado do Rio Grande do Sul, 2008.

População brasileira por idade e sexo

5. Na sua opinião, a maioria da população brasileira é formada por jovens, adultos ou idosos?

> Essa pergunta pode ser respondida analisando-se a **pirâmide etária** ou **pirâmide de idades** da população brasileira. A pirâmide etária é um gráfico que mostra a distribuição da população de acordo com a idade e o sexo.

Observe que há duas colunas de barras, uma para os homens (à esquerda) e outra para as mulheres (à direita). Cada barra indica a quantidade de homens e mulheres que existem em cada faixa de idade.

O formato da pirâmide etária permite verificar o perfil da população de um país, auxiliando o governo a planejar e a executar as ações para melhor atender aos habitantes.

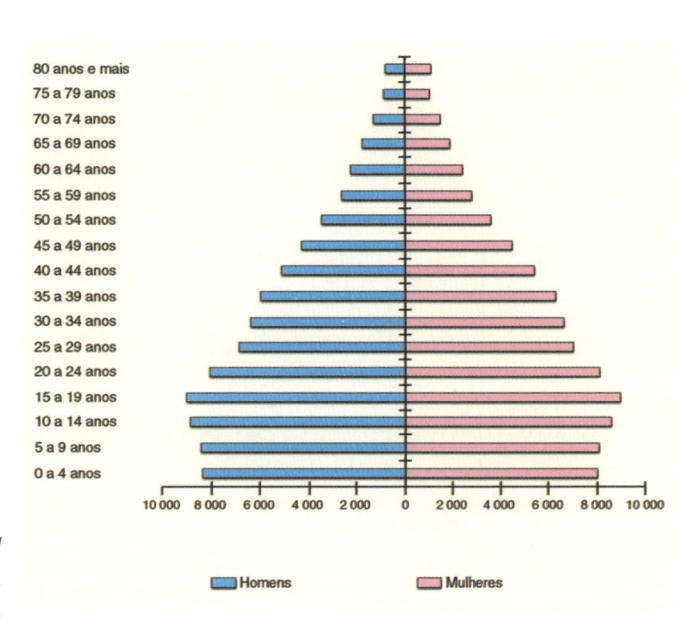

Fonte: <www.ibge.gov.br/pesquisas/demograficas.html>.
Acesso em: maio de 2008.

CAPÍTULO 2

De um lugar para outro

Segundo pesquisas do IBGE, quatro em cada dez brasileiros não vivem no município onde nasceram. Esses brasileiros são **migrantes**, isto é, pessoas que mudam de um município para outro, geralmente em busca de trabalho e melhores condições de vida.

Observe as fotografias.

Na fotografia de 1956, nordestinos em estação de trem no município de São Paulo. Essas pessoas se estabeleciam, principalmente, na cidade de São Paulo e em municípios próximos.

Muitos nordestinos migraram para a região Norte, trabalhando na abertura de estradas, por exemplo. Fotografia de 1972, no estado do Pará.

Responda às questões oralmente.

1. Quando foram tiradas cada uma das fotografias?

2. De qual região as pessoas retratadas saíram? E para qual migraram?

3. Na sua opinião, no nosso país as pessoas continuam migrando em busca de oportunidades de trabalho?

4. Você conhece alguém que deixou o lugar onde morava em busca de melhores condições de vida?

Leia o depoimento do Sr. Edvaldo, que saiu do Ceará para trabalhar no Rio de Janeiro.

Mudança para o Rio de Janeiro

(...) Saí do Ceará com 16 anos, ia fazer 17, e vim direto para o Rio. Eu tinha uma irmã que estava aqui. E tinha uns amigos meus que trabalhavam e moravam aqui também, e eu vim no endereço deles. Depois fui na casa da minha irmã. O que me atraiu mesmo vir para o Rio de Janeiro foi procurar melhorar para ajudar os meus pais. Foram três dias dentro do ônibus. Muito complicado. Quando você vem, você vem imaginando uma coisa; quando chega, é outra bem diferente. Você chega aqui e tem que trabalhar mesmo e sério, senão já viu. Mas eu não reclamo da minha vida: vim com um objetivo e, graças a Deus, eu consegui. Quando saí de lá eu falei: "Olha, mãe, a primeira coisa que eu vou fazer é comprar uma casa para vocês". E foi mesmo a primeira coisa que eu fiz, Deus me ouviu: a primeira coisa que eu fiz foi comprar a casa para ela. (...)

Depoimento de Edvaldo Farias Torres.
Disponível em: <www.museudapessoa.net>. Acesso em: outubro de 2007.

5. Circule de vermelho os nomes dos estados do Brasil onde vivia o Sr. Edvaldo e para onde ele migrou.

6. Sublinhe o trecho do texto em que aparecem os motivos que levaram o Sr. Edvaldo a migrar.

7. Circule de azul o trecho em que é possível identificar as dificuldades enfrentadas pelo Sr. Edvaldo.

8. Faça uma entrevista com um migrante. Procure saber:
- nome
- onde nasceu
- como era o lugar onde morava
- do que mais gostava nesse lugar
- por que saiu de lá
- por que escolheu o lugar em que vive atualmente

Os principais fluxos migratórios no Brasil

Os deslocamentos de pessoas entre municípios e regiões de um país recebem o nome de **migrações internas**.

Veja nos mapas os principais fluxos migratórios ocorridos no Brasil durante o século XX.

De 1960 a 1970

De 1960 a 1970, os principais deslocamentos de pessoas no Brasil tinham origem na região Nordeste. Os migrantes nordestinos partiam em busca de melhores condições de vida, principalmente para as regiões Sudeste (atraídos pela indústria) e Norte (atraídos pelas novas áreas agrícolas ou garimpos na Amazônia). Muitas pessoas também saíram da região Sul em direção à região Centro-Oeste, atraídos pelas novas áreas agrícolas.

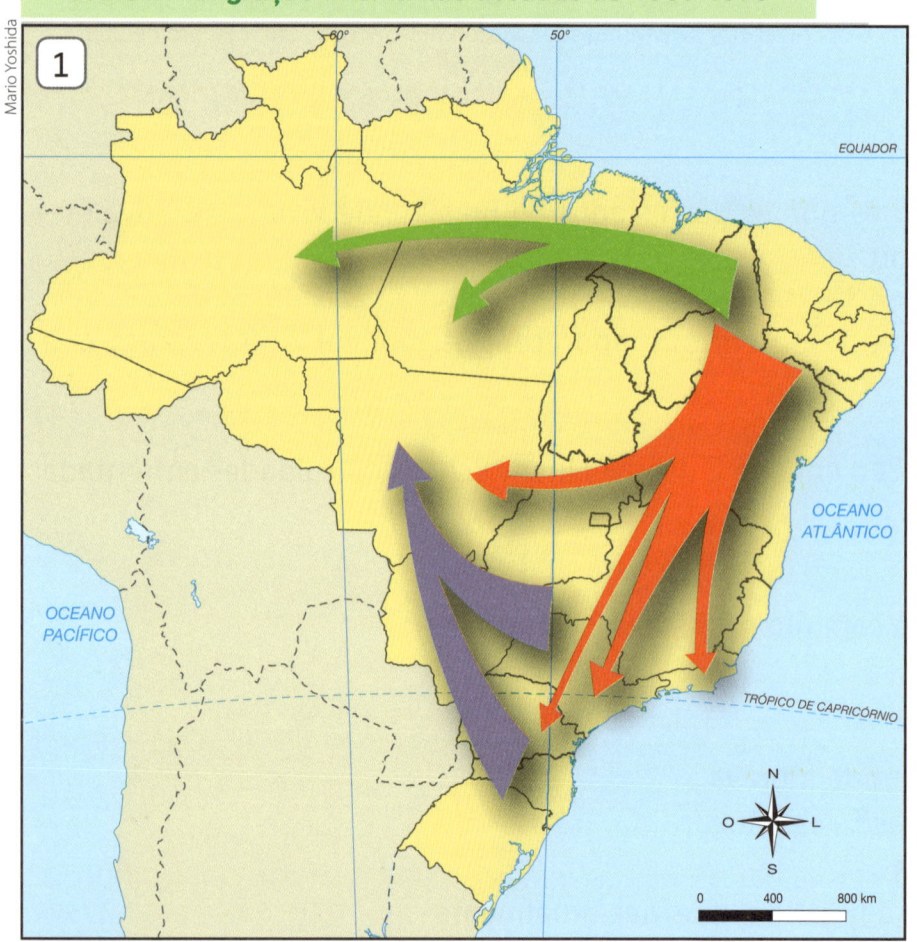

BRASIL – Migração interna nas décadas de 1960-1970

Fonte: SANTOS, Regina Bega. *Migração no Brasil*. São Paulo: Scipione, 1994, p. 45.

De 1970 a 1980

De 1970 a 1980, o Nordeste continuou liderando os fluxos migratórios em direção às cidades do Sudeste. Muitos migrantes, contudo, partiam das regiões Sudeste e Sul em direção às regiões Centro-Oeste e Norte, atraídos pelas novas áreas agrícolas e pelo baixo preço das terras.

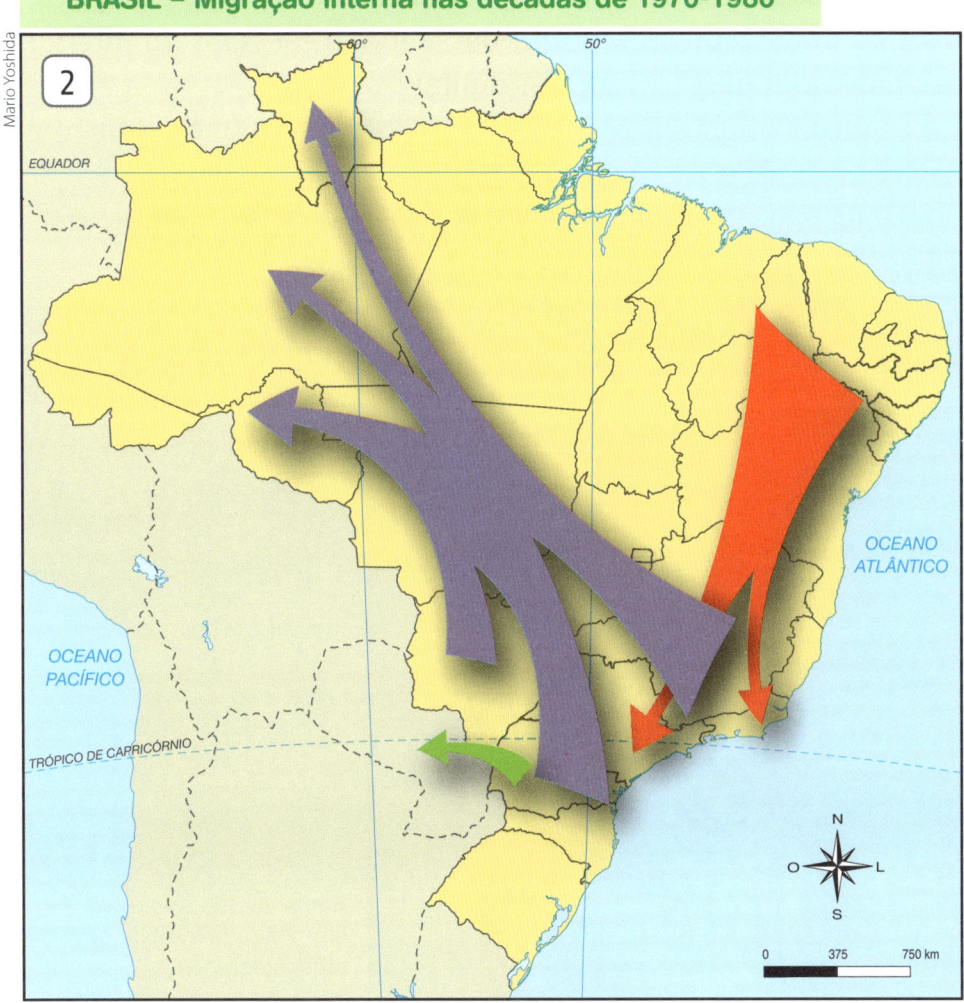

BRASIL – Migração interna nas décadas de 1970-1980

Fonte: SANTOS, Regina Bega. *Migração no Brasil*. São Paulo: Scipione, 1994, p. 45.

1. O que cada mapa está representando?

_____

_____

_____

2. Descreva, de acordo com cada mapa, os fluxos migratórios na região onde se localiza seu estado.

123

De 1980 aos dias atuais

De 1980 aos dias atuais, a diminuição da oferta de empregos nas grandes cidades do Sudeste alterou os fluxos migratórios. Em relação às décadas anteriores, houve uma significativa diminuição da migração do Nordeste para o Sudeste.

Os deslocamentos de pessoas continuaram ocorrendo do campo para a cidade, de um município para outro, como para as capitais e municípios próximos a elas. Mas esses movimentos passaram a acontecer principalmente no interior das regiões, dentro de cada estado e de um estado para outro. Dessa forma, pessoas do interior da Bahia, por exemplo, migraram para Salvador, a capital.

O mapa apresenta os fluxos migratórios entre os estados em 2000. Observe-o e responda às questões.

BRASIL – Principais fluxos migratórios (1990-2000)

Fonte: IBGE. Disponível em: <http://www.ibge.gov.br/ibgeteen/censo2000_amostra/imagens/migracao1.gif>. Acesso em: março de 2008.

3. Em relação às décadas de 1960 e 1970, o que mudou nos fluxos migratórios para o Norte e para o Centro-Oeste?

4. De acordo com o mapa, que estados do Nordeste receberam migrantes em 2000? De que estado essas pessoas saíram?

Leia o texto que trata das migrações para as regiões Norte e Centro-Oeste do Brasil. Depois responda às questões.

> (...) os nordestinos que migravam para o Maranhão e o Pará foram responsáveis também pela ocupação do Tocantins; os mineiros e paulistas (...), partindo do Sudeste, se expandiram em direção a Brasília (...); gaúchos, paranaenses e catarinenses (...) ocuparam a região que contorna o Pantanal, para em seguida, contornando-o, se dirigirem para Mato Grosso (...). Daí seguiram para Rondônia, para o Acre e ocuparam a margem esquerda do grande rio no Pará e no Amazonas (...).
>
> Manuel Correia de Andrade. *A trajetória do Brasil (de 1500 a 2000)*. São Paulo: Contexto, 2000. p. 72.

5. Quais são os fluxos migratórios descritos no texto?

_____

6. Que fatores atraíram muitas pessoas da região Sul a migrarem para as regiões Centro-Oeste e Norte do Brasil?

_____

SUGESTÃO DE LEITURA

Migração no Brasil, de Regina Bega Santos, Scipione.

Olhando para dentro, de Alina Perlman, Saraiva.

Quando vovô virou borboleta, de Luiz Galdino, Saraiva.

Uma pequena história de Natal, de Júlio Emílio Braz, Atual.

REDE DE IDEIAS

ORGANIZAR

1. Observe os gráficos e responda às questões.

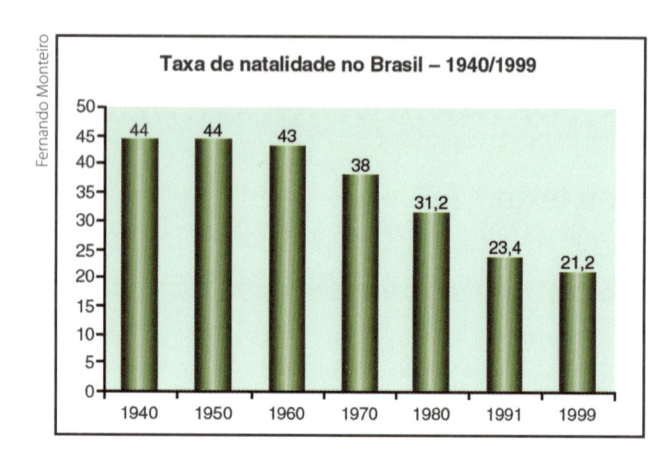

Taxa de natalidade no Brasil – 1940/1999

Ano	Taxa
1940	44
1950	44
1960	43
1970	38
1980	31,2
1991	23,4
1999	21,2

Taxa de mortalidade no Brasil – 1940/1999

Ano	Taxa
1940	25
1950	21
1960	13
1970	9
1980	8
1991	7,7
1999	6,6

Fonte: <www.ibge.gov.br/ibgeteen/pesquisas/fecundidade.html>.
Acesso em: janeiro de 2008.

a) O que ocorreu com as taxas de natalidade e mortalidade da população brasileira no período de 1940 a 1999?

_____

b) De acordo com o que você estudou, quais são os fatores responsáveis por esse fenômeno?

_____

_____

_____

REFLETIR

2. Leia o texto e responda às questões.

> Durante muito tempo, o Brasil foi considerado um país de jovens porque nasciam muitas crianças e a esperança de vida, que é o número médio estimado de anos que uma pessoa poderá viver, era baixa. Atualmente, as mulheres estão tendo menos filhos, e os brasileiros estão vivendo mais tempo. Essa nova dinâmica da população tem provocado uma mudança na pirâmide etária brasileira. Há vinte anos, a pirâmide de idades do Brasil apresentava a base larga (grande número de crianças e jovens) e o topo estreito (pequena população de idosos).
>
> Aos poucos, a base foi se estreitando, enquanto o corpo e o topo se dilatavam, devido ao aumento de adultos e idosos no total da população. Estimativas do IBGE apontam que em 2030 as pessoas com mais de 60 anos corresponderão a cerca de 17% da população total e as com menos de 19 anos serão cerca de 20%. Será estabelecido um certo equilíbrio entre o número de jovens e o de idosos.

a) Sublinhe no texto como era a pirâmide etária da população brasileira há vinte anos e como ela está se estruturando atualmente.

b) Na sua opinião, como nossa sociedade deve se preparar para o envelhecimento da população?

AMPLIAR

3. Faça uma pesquisa com pessoas mais velhas sobre os antepassados delas.
- Pergunte que diferenças há entre as famílias da época dos avós do entrevistado e as famílias atuais.
- Por que o entrevistado acha que isso ocorreu?

4. Agora, faça a mesma pesquisa em relação à sua família. Busque informações sobre a geração dos responsáveis por você, dos avós, dos bisavós. Conversem sobre os resultados da sua pesquisa com os colegas. Com a ajuda do professor, produzam um texto coletivo.

Convivência

Melhor idade

A população brasileira está envelhecendo, ou seja, as pessoas estão vivendo mais tempo e há um maior número de idosos.

Em 1960, o brasileiro vivia em média 54 anos. Em 2006, essa idade aumentou para 72 anos.

Idoso: segundo o IBGE, pessoa com mais de 60 anos.

Em 2000 os idosos somavam 12 milhões de pessoas. Estima-se que em 2020 os idosos serão aproximadamente 25 milhões.

O amadurecimento da população brasileira tem incentivado e propiciado a criação de projetos sociais e culturais voltados para essa faixa da população.

Junto com o professor e os colegas leia parte de um texto que apresenta exemplos de iniciativas voltadas para a terceira idade.

A turma mais madura tem recebido uma enxurrada de ofertas de cursos voltados para alunos com mais de 50 anos. Levam o nome de universidade da terceira idade, faculdade livre da idade adulta ou universidade da maturidade, por exemplo. Mas uma denominação é oficial: a universidade aberta à terceira idade. (...)

"São cursos de atualização cultural que duram de dois a três anos, em que são ministradas disciplinas como história, economia, política, além de orientações na área de saúde e algumas atividades socioculturais" (...).

A Secretaria de Estado da Cultura de São Paulo acaba de inaugurar, num prédio de 844 m², a Oficina Cultural da Terceira Idade, com cursos gratuitos para maiores de 55 anos de idade, nas áreas de dança, artes plásticas, fotografia, artesanato, ioga, tai-chi, coral, entre outros.

(...) a criação da oficina é um antigo pedido dos idosos que já participam do Programa Cultural da Terceira Idade desde 1995, que conta com 164 oficinas itinerantes em todo o Estado.

Disponível em: <www2.uol.com.br/aprendiz/guiadeempregos/especial/info_080202.htm#1>.
Acesso em: dezembro de 2007.

1 Sublinhe no texto as informações sobre o que vem acontecendo com a população brasileira.

2 Que tipo de projetos e iniciativas são citados no texto?

_____
_____

Estudante da terceira idade da Universidade Federal de Santa Catarina, 2008.

Iniciativas legais!

3 Na sua cidade existem projetos para a terceira idade? Pesquise em jornais, revistas e internet universidades ou cursos oferecidos à população idosa.

Grupo participa de aula de fotografia na Universidade Aberta da Terceira Idade, da UERJ (Universidade Estadual do Rio de Janeiro).

4 Reúna-se com um colega e elaborem uma sugestão de iniciativa cultural para grupos de terceira idade.

UNIDADE 8

Condições de vida

Meninos fazem exibição de malabarismo em rua da cidade do Rio de Janeiro, 2004.

IMAGEM E CONTEXTO

Converse com o professor e os colegas sobre as questões.

1. O que as crianças retratadas na fotografia estão fazendo?

2. Você já viu uma cena parecida com essa no seu município?

CAPÍTULO 1

As desigualdades sociais

Observe a fotografia.

No centro da fotografia, vemos a Favela do Rio Comprido, no Rio de Janeiro, em 2005. Apesar de o Rio de Janeiro ser muito lembrado por suas favelas, esse tipo de moradia ocorre em muitos outros municípios brasileiros.

1. Pinte a frase que melhor define a fotografia.

> No nosso país não há grandes contrastes sociais, pois todas as pessoas têm condições de vida semelhantes.

> O Brasil é um dos países com maior desigualdade social, o que pode ser observado nas paisagens das grandes cidades, por exemplo.

Atualmente, em quase todos os países existem muitas diferenças entre as condições de vida das pessoas. Em uma mesma sociedade, há pessoas que vivem com boas condições de moradia, estudo, trabalho; e outras que vivem em condição de miséria. Essa situação caracteriza o que chamamos de **desigualdade social**.

2. A paisagem retratada se localiza em qual município brasileiro?

_____

3. Na sua opinião, outros lugares do Brasil apresentam paisagens com contrastes? Se a resposta for sim, cite exemplos.

_____

_____

_____

4. Faça uma colagem ou um desenho que represente a desigualdade social que existe no Brasil ou em outros países.

Desigualdade social e distribuição de renda

Nosso país é um dos que apresentam maior desigualdade social. Esse quadro resulta de um longo processo histórico que permitiu a concentração da renda e das riquezas produzidas nas mãos de um pequeno grupo de pessoas.

Por outro lado, uma grande parcela da população vive com renda insuficiente para garantir as necessidades básicas como moradia, alimentação, saúde, vestuário e educação.

Muitas pessoas vivem em moradias precárias, localizadas em bairros carentes de serviços essenciais como água encanada e rede de esgoto, iluminação pública, coleta de lixo e hospitais, entre outros. Na fotografia, moradias na cidade do Rio de Janeiro, 2006.

Favela de Paraisópolis ao lado de condomínio de luxo, na cidade de São Paulo: pobreza e riqueza lado a lado. Fotografia de 2004.

A distribuição de renda do nosso país pode ser verificada, por exemplo, por meio de pesquisas sobre os serviços e bens de consumo existentes nos domicílios brasileiros.

Domicílio: moradia (casa, edifício, embarcação, veículo, barraca, entre outros).

Bem de consumo: produto que utilizamos ou consumimos para atender às nossas necessidades.

Observe as tabelas.

Bem de consumo	Porcentagem (%) nos domicílios brasileiros em 2006
Computador	22,1
Geladeira	89,2
Máquina de lavar roupa	37,5
Telefone	74,5
Televisão	93,0

Serviço	Porcentagem (%) nos domicílios brasileiros em 2006
Coleta de lixo	86,6
Rede de água	83,2
Rede de esgoto	70,6
Rede elétrica	97,7

Fonte: <http://noticias.uol.com.br/ultnot/brasil/infografico/2007/09/14/ult3225u24.jhtm>.
Acesso em: dezembro de 2007.

Apesar de as desigualdades sociais no nosso país continuarem grandes, nos últimos anos houve uma melhora nas condições de vida de muitas pessoas. Muitos municípios brasileiros, por exemplo, expandiram as redes de água e de esgoto, de energia elétrica, entre outros.

5. O professor irá dividir a turma em grupos de 5 alunos. Cada grupo deverá pesquisar sobre um serviço de seu município. Façam cartazes com textos e, se possível, com imagens sobre o que descobriram. Depois os trabalhos serão expostos para que as informações descobertas sejam compartilhadas entre todos.

CAPÍTULO 2

Condições de vida e cidadania

Cada um de nós deve exercer sua cidadania. Para isso, precisamos conhecer e praticar nossos direitos e nossos deveres. Alguns dos direitos dos cidadãos brasileiros estão na Constituição Federal, que é a lei maior do Brasil.

Leia um trecho do artigo 6º dessa lei.

> Art. 6º: São direitos sociais a educação, a saúde, o trabalho, a moradia, o lazer, a segurança.

Não podemos esquecer, no entanto, que todo cidadão tem seus deveres perante a sociedade em que vive, tais como respeitar as leis de seu país. Exercer a cidadania é muito mais que ter direitos e deveres.

Exercemos nossa cidadania quando, por exemplo: cooperamos para melhorar as condições do lugar em que vivemos, seja nossa escola, nosso bairro ou nosso município e quando nos organizamos para cobrar ações de autoridades responsáveis, por exemplo, pela educação, pelo meio ambiente, pela saúde.

Veja um exemplo de como uma comunidade se organizou para lutar por melhores condições de vida.

Estudo de caso: Ação Comunitária Caranguejo Uçá

A Ação Comunitária Caranguejo Uçá surgiu em 2002, na Ilha de Deus, zona sul da cidade do Recife, onde a comunidade enfrenta muitos problemas sociais. Essa associação, formada por moradores do lugar, desenvolve diversas atividades, como oficinas de artesanato, reciclagem, música e leitura.

O aterramento de mangues e a grande quantidade de esgoto lançado nas águas prejudicam a coleta de caranguejo uçá, atividade que garante a sobrevivência de muitas famílias da Ilha de Deus. Fotografia de 2007.

Uma das grandes preocupações da Caranguejo Uçá é a conservação dos rios e das áreas de mangue, pois muitas pessoas vivem da pesca. Para isso, a associação cobra atitudes dos governos, como na barqueata ocorrida em agosto de 2007.

Barqueata protesta contra poluição dos rios no Recife

Cerca de três mil barcos participaram na manhã desta segunda-feira (20) de uma barqueata para protestar contra a poluição dos rios que cortam Recife. (...)

(...) cerca de 1.500 famílias, que dependem diretamente da pesca, sofrem com a poluição das principais vias fluviais da capital. (...)

O movimento denuncia que boa parte dos esgotos do Recife e municípios próximos é despejada nos cinco rios que cortam a região (...).

Disponível em: <http://jc.uol.com.br/2007/08/20/not_147440.php>.
Acesso em: dezembro de 2007. Publicada em 20 de agosto de 2007.

1. Por que a preservação do mangue e dos rios é importante para a comunidade de pescadores?

_____

_____

2. Em grupo, conversem sobre outras formas de reivindicação de melhorias no bairro ou município. Façam uma pesquisa sobre ações de Organizações Não-Governamentais (ONGs) ou associações comunitárias que atuam no lugar onde vocês vivem.

[SUGESTÃO DE LEITURA]

Uma, duas, três Marias, de Maria da Graça Rios, Formato.

A carta de Savita, de Joe Hoestland, Scipione.

Gente que faz!

Água para todos

BRASIL – Acesso ao serviço de água

Domicílios atendidos (%)
- 20 a 49
- 50 a 79
- 80 a 100

Fonte: IBGE. *Atlas geográfico escolar*. 4. ed. Rio de Janeiro: IBGE, 2007. p. 156.

1. Observe o mapa e assinale as afirmações corretas.

☐ Quanto mais clara a cor das "bolinhas", menor é a porcentagem de domicílios atendidos pela rede de abastecimento de água.

☐ Quanto mais escura a cor das "bolinhas", menor é a porcentagem de domicílios atendidos pela rede de abastecimento de água.

2. Como é a rede de abastecimento de água no seu estado?

_____

_____

_____

3. Junte-se a um colega e faça uma pesquisa sobre a importância do abastecimento de água. Pesquisem:

- por que é importante que os domicílios sejam atendidos por uma rede de abastecimento de água.
- se no município onde vivem todos os domicílios são atendidos.
- se há domicílios que não são atendidos por uma rede de abastecimento de água. E, se houver, por que isso acontece.

Registre as informações que vocês descobriram.

_____

_____

_____

_____

_____

_____

_____

_____

_____

_____

Rede de Ideias

ORGANIZAR

1. De acordo com o que você estudou na Unidade 8, assinale as frases verdadeiras sobre a desigualdade social.

    ☐ Caracteriza apenas países muito pobres.

    ☐ Pode ser percebida nas paisagens de muitas cidades brasileiras.

    ☐ Pode ser observada no contraste entre bairros e moradias precárias ao lado de lugares luxuosos, por exemplo.

2. Explique por que uma das frases acima está incorreta.

    _____
    _____
    _____

3. O que são bens de consumo? Dê exemplos.

    _____
    _____

4. Por que as pesquisas sobre o acesso aos bens de consumo permitem analisar a distribuição de renda?

    _____
    _____

REFLETIR

5. Observe a fotografia e responda.

a) O que a imagem retrata?

_____

_____

Morador de rua no município de Santa Maria, Rio Grande do Sul, em 2008.

b) Segundo o artigo 6º da Constituição Federal, quais são os direitos sociais de todas as pessoas?

_____

_____

_____

c) Na sua opinião, os direitos sociais da pessoa retratada estão sendo assegurados?

AMPLIAR

6. Faça um desenho que retrate:

- cidadãos exercendo seus direitos
- cidadãos exercendo seus deveres

141

Convivência

Problemas que são de todos os brasileiros!

Vamos conhecer melhor os problemas sociais e econômicos que mais afetam a população do Brasil. Para isso selecione com seu grupo um desses problemas e escrevam um artigo de revista sobre ele.

A organização de um artigo de revista

1. Organizem grupos de 3 ou 4 alunos e escolham um problema social ou econômico que, na opinião do grupo, afeta a população brasileira.
2. Pesquisem em livros, revistas, jornais e internet informações sobre esse problema.
3. Pesquisem também artigos de revistas que vocês consideram interessantes para usar como modelo na organização e elaboração do artigo.
4. Coletem informações e produzam um texto jornalístico levando em consideração:
   - como e onde ocorre o problema
   - as causas ou os principais responsáveis por esse problema
   - a quem esse problema atinge diretamente
   - quais são as principais consequências desse problema
   - quais são as soluções possíveis
   - como podemos colaborar para a solução desse problema
   - outro aspecto que o grupo considerar importante

Na montagem do artigo, vocês vão precisar de imagens, que podem ser mapas, tabelas, gráficos, fotografias ou ilustrações sobre o tema.

O professor e os alunos deverão se organizar para a apresentação dos artigos produzidos pelos grupos. Vejam algumas formas sugeridas para a apresentação.

Apresentação do artigo

1 Os artigos poderão ser apresentados em forma de painel ou simplesmente expostos sobre as carteiras da sala de aula.

2 Alguns artigos selecionados ou sorteados poderão ser lidos.

3 Os conteúdos dos artigos poderão ser simplificados e apresentados pelos grupos.

4 Todos os artigos da sala podem ser agrupados e organizados pelos alunos em uma revista ou em um livro.

Além dessas sugestões, junto com o professor, vocês poderão buscar outras formas para apresentar os artigos. O importante desta atividade é que todos possam mostrar o que produziram e conhecer um pouco do trabalho dos outros grupos.

Sugestões de filmes, livros e *sites*

Filmes

- *Deus é brasileiro*. Direção: Cacá Diegues. Brasil: 2003.
- *Espelho d´água*. Direção: Marcus Vinícius Cezar. Brasil: 2004.
- *Tainá 2 – A aventura continua*. Direção: Mauro Lima. Brasil, 2005.

Livros

- *A Mata Atlântica*, de Rubens Matuck, Ática.
- *Bumba meu boi bumbá*, de Roger Mello, Agir.
- *Caça ao tesouro*, de Amanda J. Wood, Brinque-Book.
- *Cenas urbanas*, de Júlio Emílio Braz, Scipione.
- *Chuva de Manga*, de James Runford, Brinque-Book.
- *Clima e previsão do tempo*, de Steve Parker, Melhoramentos.
- *De onde você veio? – Discutindo preconceitos*, de Liliana Iacocca e Michele Iacocca, Ática.
- *Fuga do Pantanal*, de Teresinha Cauhi de Oliveira, FTD.
- *Guia de mochila – Nordeste*, de Maria do Carmo Vaz de Melo, Dimensão.
- *Guia de mochila – Sudeste*, de Maria do Carmo Vaz de Melo, Dimensão.
- *Histórias dos índios do Brasil*, de Walmir Ayala, Ediouro.
- *Kabá Darebu*, de Daniel Munduruku, Brinque-Book.
- *Mágica Terra Brasileira*, de Elias José, Formato.
- *Não acredito em branco*, de Celso Antunes e Telma Guimarães Castro Andrade, Scipione.
- *Notícias do descobrimento*, de Lucília Garcez, Dimensão.
- *O Brasil é feito por nós?*, de Ricardo Soares, Atual.
- *O homem mais rico do mundo*, de Guilherme Cunha Pinto, FTD.
- *Os continentes e as paisagens*, de Celso Antunes, Scipione.
- *Pátria adorada entre outras mil*, de Edy Lima, Scipione.
- *Por dentro da Mata Atlântica*, de Nilson Moulin, Studio Nobel.

Sites

- www.ibge.gov.br/7a12
- www.plenarinho.gov.br
- www.canalkids.com.br
- www.ecokids.com.br
- www.globorural.com.br
- www.eciencia.usp.br/
- http://cienciahoje.uol.com.br/materia/view/418